Je
est un autre

Je est un autre

Maurice Zundel

ANNE SIGIER

ÉDITION
Éditions Anne Sigier
1073, boul. René-Lévesque Ouest
Sillery (Québec)
G1S 4R5

EN COUVERTURE
Reflection of the Sun in the Sea,
toile de Nicolas Tarkhoff / SuperStock

ISBN
2-89129-298-7
(2-89129-067-4 pour la première édition aux Éditions Anne Sigier)

DÉPÔT LÉGAL
4ᵉ trimestre 1997
Bibliothèque nationale du Québec
Bibliothèque nationale du Canada

Site Web : www.annesigier.qc.ca

Les Éditions Anne Sigier reconnaissent l'aide financière du gouvernement du Canada par l'entremise du programme d'aide au développement de l'industrie de l'édition. Les Éditions Anne Sigier remercient également le
Conseil des Arts du Canada et la Société de développement des entreprises culturelles du Québec (SODEC).

Avant-propos

L'enfant qui arrive à faire cette découverte extraordinaire qui s'exprime en un mot : j'existe, pourrait ajouter aussitôt : mais je n'y suis pour rien. Le pronom personnel auquel il recourt, le «je» qui précède ici le verbe exister, n'est cautionné par aucune initiative qui lui serait propre. Il ne tient rien de soi, en effet, il est entièrement préfabriqué et il ne subsiste que par la vertu des énergies fournies par l'univers qui le porte.

Selon le cours ordinaire des choses, il en restera là. Il continuera à dire «je» et «moi» sur un être qu'il subit et avec lequel il s'identifie par une complicité inconsciente, dont les racines sont affectives et passionnelles. Il deviendra homme au sens zoologique d'appartenance à l'espèce humaine, en s'attachant âprement à soi, comme font tous les vivants à quelque espèce qu'ils appartiennent. Sa complexité physique et psychique ne suffira pas à le faire émerger d'un monde instinctif et à lui assurer une situation transcendante.

Et cependant, si l'on tente de l'asservir, si l'on prétend le réduire à un rôle de pur instrument, s'il est soumis à un régime concentrationnaire, s'il est condamné à subir tous les raffinements d'un lavage de cerveau, il prendra conscience de sa dignité comme de son bien le plus précieux, à travers l'indignité même des traitements dont il est l'objet.

C'est par là que commencera à se faire jour en lui sa dimension proprement humaine et sa vocation d'en réaliser toute l'exigence.

Une dignité inviolable, c'est bien ce qui fonde les droits de l'homme. Mais cette dignité n'est pas donnée avec sa naissance *charnelle: il s'agit pour lui de la conquérir dans un continuel dépassement de ses préfabrications. L'homme authentique est toujours en avant de lui-même, dans ce sens qu'il n'atteint réellement à soi qu'en actualisant les possibilités d'une grandeur qui doit être son œuvre.*

Dans cette perspective, on peut résumer la condition humaine dans cette formule, qui est pour moi la suprême évidence: je ne suis pas, *mais* je puis être.

On verra, dans les pages qui suivent, comment cette sorte de cogito me *semble trouver dans la révélation chrétienne sa plus éminente caution.*

Les aspects de cette révélation envisagés dans ces conférences, données à l'invitation de Mgr Grégoire Haddad durant l'hiver 1968-1969, répondent à la demande des Amis beyrouthins qui ont choisi les titres de ces entretiens avec un sens aigu des problèmes qu'ils soulèvent et qui ont pris à cœur de leur assurer l'auditoire le plus attentif et le plus exigeant.

Beyrouth, avril 1969, Lausanne, février 1971

1

Rencontre de soi et rencontre de Dieu

À UN JOURNALISTE qui l'interviewait il y a une trentaine d'années, un grand physicien français répondait à la question qui lui était posée : « Croyez-vous en Dieu ? » – « Et vous, Monsieur, croyez-vous en l'homme ? »

Cette foi en l'homme, revendiquée à cette époque par un homme de science, était au fond un succédané laïque de la foi en Dieu. Une valeur transcendante attribuée à l'homme conférait à son existence une dimension métaphysique, qui pouvait satisfaire un certain besoin d'infini.

Il semble qu'aujourd'hui un bon nombre de physiciens ou de biologistes ne sont aucunement tentés de nier Dieu pour mieux affirmer l'homme. Ils ne croient ni en l'un ni en l'autre, comme s'ils étaient exempts de toute inquiétude métaphysique.

Il importe de prendre conscience, comme d'un phénomène nouveau, de cette sorte d'ananthropisme, de négation de l'homme, qui radicalise la négation de Dieu, en répudiant toute espèce de foi : qu'elle soit humaine ou divine.

Cette situation est peut-être due à une extrapolation philosophique de nouvelles disciplines scientifiques – comme la cybernétique, la biologie moléculaire ou certains structuralismes – dans la mesure où elles induisent à une interprétation exclusivement organiciste ou purement automatique de toute notre vie mentale : mais elle est inscrite, d'une certaine manière, dans la logique même de la science telle qu'elle est conçue depuis Copernic ou Galilée.

Cette science, qui ne fait appel qu'à des critères expérimentaux d'ordre sensible et dont la physique nucléaire représente un des plus prodigieux succès, n'a pu se constituer qu'en postulant dans l'univers observable des nécessités, des constantes, des exigences internes qui permettent de cerner les conditions indispensables des phénomènes, de prévoir ceux-ci et, éventuellement, d'en créer de nouveaux par la combinaison de ceux que l'on a déjà maîtrisés. Ce postulat trouve son expression *idéale* dans le déterminisme [1] qui subordonne, précisément, à des nécessités immanentes, matériellement vérifiables, tout ce qui peut être objet d'une étude scientifique.

Le recours au déterminisme comme à la condition première d'un savoir rigoureux a été sans doute nécessaire au titre d'une méthode, dont les magnifiques réussites de la science ont démontré surabondamment la fécondité. Il a eu cet avantage, qui n'a pas peu contribué à son progrès, de créer un langage commun à tous les chercheurs, en éliminant leurs options personnelles du champ de l'observation ou de l'expérimentation. Russe ou Américain, Allemand ou Français, Indien ou Japonais, Anglais ou Chinois, Noir ou Blanc : toutes les différences nationales, raciales ou idéologiques évoquées par ces noms ne comptent pas dans un laboratoire, où un physicien quelconque, pourvu qu'il soit qualifié dans sa discipline et fidèle à ses exigences, obtiendra toujours et partout des résultats objectifs, indépendants de ses vues propres sur le sens du monde, sur son commencement absolu et sur sa fin dernière, sur la maladie, le mal et la mort ou sur le meilleur régime politique et social.

Cette mise entre parenthèses des options personnelles, nécessaire comme méthode et admirable comme ascèse d'une connaissance respectueuse de ses moyens, comporte cependant certains risques qu'il est opportun d'expliciter.

---

1. Sur les limites du déterminisme scientifique, voir *Les Conditions de l'esprit scientifique* par Jean Fourastié, p. 158-165 et 236-237.

L'homme étant lui-même objet d'étude scientifique sera légitimement, sous cet aspect, traité comme n'importe quel phénomène et relevant, de ce chef, d'une explication de type déterministe. Et cela ne vaut pas seulement de sa physiologie si souvent testée à travers la physiologie animale. Dès que la psychologie, la linguistique ou la sociologie prennent rang de sciences, son psychisme, son langage, son existence collective se réduisent inévitablement à des nécessités autoréglées à l'égard desquelles l'individu n'est ni libre ni – généralement – conscient.

Un micromécanisme dans le macromécanisme de l'univers, justiciable en dernière analyse, comme toute réalité, de la physique nucléaire : c'est en somme vers une telle vision de nous-mêmes qu'incline spontanément la science, en vertu de ses exigences méthodologiques qui excluent *a priori* « le vécu individuel » du champ de ses investigations. Il ne peut être question, dans la perspective qui est la sienne et avec les moyens dont elle dispose, de reconnaître en nous une liberté ou une transcendance qui échapperait définitivement à son emprise.

Il en résulte une tendance de plus en plus marquée à évacuer tout ce qui est spécifiquement humain comme un vestige de perceptions préscientifiques, fondées sur l'importance indue que l'homme s'attribuait dans le monde vivant. Par un retournement paradoxal, le créateur de la science se nie à travers ce grand œuvre dont il est l'auteur, en devenant pour lui-même un pur objet. Il ne pense plus : quelque chose pense en lui. Des structures inconscientes dans leur fond le mènent et prennent la place du sujet qu'il croyait être.

Les philosophes qui tentent encore de remonter du monde à Dieu par quelqu'une des voies classiques qui doivent démontrer son existence ont peu de chance d'éveiller le moindre intérêt dans un public qui croit prouvé scientifiquement que l'homme n'a aucune signification particulière et qu'il s'explique, comme toute réalité, par des nécessités immanentes ou des hasards qui ne renvoient à rien d'autre.

Il est infiniment probable que les chercheurs qui fournissent, en toute bonne foi, les arguments les plus convaincants en faveur de cette nouvelle incroyance qui porte sur l'homme, comme Jacques Monod, Claude Lévi-Strauss, Michel Foucault, trouvent, dans la joie de connaître, une contrepartie hautement humaine à leurs négations, qui les empêche vraisemblablement d'en percevoir sur eux-mêmes toutes les conséquences.

Il ne s'agit pas, d'ailleurs, de contester la valeur de leurs expériences ou de leurs observations, mais simplement de se demander si la réalité humaine est comprise tout entière dans les limites qu'ils lui assignent. Cette question n'est pas susceptible d'une réponse rapide.

Il est certain tout d'abord que le déterminisme joue un rôle immense dans notre propre histoire.

Nous n'avons pas choisi de naître, nous n'avons pas choisi nos parents ni notre hérédité; nous n'avons pas choisi notre milieu, ni notre époque, ni notre sexe, ni notre langue, ni notre histoire infantile, ni même, la plupart du temps, notre religion. Cela veut dire qu'un enfant qui prend conscience de lui-même, qui fait cette découverte prodigieuse : «J'existe», peut aussitôt ajouter : «Mais je n'y suis pour rien. J'existe, mais il n'y a rien en moi que je tienne de moi.»

Et ce premier départ qui nous enracine dans un univers préfabriqué, qui fait de nous une miette de cet univers, ce premier départ est généralement confirmé par toute l'expérience ultérieure. En effet, la plupart du temps, nous demeurons englués dans un univers instinctif, dans un univers passionnel dont la base est physico-chimique : au point que le «je-moi» que nous avons toujours à la bouche n'est finalement que la résultante de toutes les pesanteurs cosmiques ou sociales que nous subissons.

Il est extrêmement rare, en effet, que «je-moi» signifie chez nous quelque chose d'originel, de personnel, de créateur. Le plus souvent, nous ne faisons qu'exprimer, par ces pronoms faussement personnels, les impulsions qui nous dominent.

Plutôt que de conclure à une perversité morale de cette propension à subir notre physiologie, à subir nos instincts, à subir ce «je-moi» animal, propriétaire et complice, nous pouvons nous demander si elle ne résulte pas d'abord de notre qualité de vivant. Un vivant comme nous, et nous comme tout vivant, est en effet une entreprise paradoxale, une espèce de contradiction dialectique, du fait précisément que le vivant est à la fois une autonomie et une dépendance. Le vivant, aussi bien, est d'abord un être qui doit exister pour soi avec une certaine conscience de soi. C'est une espèce de «sujet», mais de «sujet-objet», car cette conscience qui enregistre, qui réfléchit les états d'une structure physicochimique, cette conscience est elle-même déterminée, ce sujet, en règle générale, ne maîtrise pas ses réactions. Ces réactions sont commandées par des impulsions instinctives.

S'il en est ainsi, c'est que précisément, comme je le disais il y a un instant, le vivant est une sorte de contradiction dialectique, c'est-à-dire que le vivant est un «pour soi» – il entend exister pour son compte, je veux dire qu'en lui toutes les fonctions sont ordonnées à sa subsistance et à sa survivance – et qu'en même temps il dépend de tout l'univers.

Il ne peut vivre dans la plupart des cas sans respirer; il a besoin sous une forme ou sous une autre de l'énergie solaire, il doit emprunter, selon son rang, aux minéraux, aux végétaux, aux animaux, parce que son être est constamment exposé à l'usure, au vieillissement, à la maladie, à la mort. Il est donc perpétuellement obligé, pour se maintenir dans l'être, pour échapper aux menaces du dehors et du dedans, d'être, en quelque sorte, la providence de lui-même, de s'intéresser au maximum à lui-même, de conspirer de toutes ses forces, en un mot, à sa propre survivance.

Nous en sommes là nous-mêmes. Étant des vivants, nous sommes nécessairement complices de notre existence, intéressés au maximum par nous-mêmes et constamment mus par une sollicitude instinctive envers notre propre survivance.

C'est précisément pourquoi notre «je-moi» primitif et spontané est un «je-moi objet», c'est-à-dire qu'il est, comme chez toutes les espèces vivantes, un déterminisme introverti, égocentrique et cela inévitablement, biologiquement, nécessairement.

C'est là, dans ces soubassements où notre conscience sensible, étoffée par notre inconscient, réfléchit, en quelque sorte, les événements de notre structure physicochimique avec une complicité sans borne, c'est là que nous pouvons situer l'univers instinctif et passionnel dans lequel nous sommes originairement enracinés.

Au-dessus de cet univers passionnel, j'ai déjà nommé l'univers scientifique qui est, lui aussi – mais très épuré parce que dégagé de toute complicité équivoque –, un univers-objet, admirable dans son ordre, admirable dans la mesure où il est fidèle à sa méthode, admirable dans sa fécondité, sans comporter pourtant aucun engagement personnel, tellement que, finalement, l'homme lui-même y est considéré comme un pur objet. Ce qui revient à dire qu'il n'existe pas.

En effet, si l'homme est tout entier régi par des déterminismes, par des automatismes autoréglés dont il n'est que très obscurément conscient, il ne se distingue pas des autres vivants. Il ne pose plus aucun problème particulier. Il n'y a donc plus aucune raison de chercher une signification métaphysique à son existence qui s'explique par l'évolution spontanée de l'univers physique.

Est-ce là le dernier mot du savoir ?

Faut-il vraiment admettre que l'homme n'existe pas ?

Qu'il n'existe pas avec une qualification transcendante : dans la plupart des cas, c'est trop évident, mais tout au moins *peut-il* exister dans une dimension spécifiquement humaine ?

Jean Rostand, dans ses *Inquiétudes d'un biologiste,* semble reconnaître à l'homme une situation exceptionnelle lorsqu'il écrit cette phrase qui porte loin : «Nous allons apprendre à changer l'homme avant de savoir ce que c'est que l'homme. N'étant d'accord sur rien de ce qu'on doit faire ou penser, comment le serions-nous sur ce qu'on doit faire de nous-mêmes ? »

Il est impressionnant qu'un homme de science de cette qualité, aussi artiste et penseur qu'il est savant, doive, après de longues recherches, avouer qu'on ne sait pas ce que c'est que l'homme, et que si on s'apprête à le transformer par des méthodes de laboratoire, on ne sait nullement dans quelle direction il faut tenter cette transformation.

Mais le même Jean Rostand révélait en quelque sorte son âme en se posant la question : «Ceux-là d'entre nous que déconcerte le développement de leur discipline, ne sont-ils pas des sortes de ‹chimères› spirituelles, qui, tout en ayant le cerveau rationnel, gardent le cœur assez religieux pour qu'un protoplasme humain leur reste chose sacrée ? »

Qu'est-ce que vient faire ici le mot «sacré» sous la plume d'un biologiste ? Il est évident que, dans un laboratoire, le protoplasme humain apparaîtra comme un protoplasme quelconque, ayant ses propres déterminismes, bien sûr, mais qu'on y cherchera en vain le sacré sous le microscope.

Pour trouver le sacré dans le protoplasme humain, il faut évidemment être entré déjà dans un autre univers qui est vraisemblablement l'univers essentiel : celui où s'accomplissent tous nos échanges intimes, celui de l'amour, celui de l'amitié.

Au-delà du monde-objet de la science, il arrive, en effet, que nous pressentions tout un univers qui ne peut entrer dans le laboratoire et qui est l'univers *interpersonnel.*

C'est seulement en pénétrant dans cet univers interpersonnel que l'on peut éprouver devant un protoplasme humain le sentiment du sacré.

Mais comment y parvenir? Comment peut-on passer de l'univers instinctif et animal, de l'univers passionnel et complice, qui ne cesse de nous séduire et qui remplit notre «je-moi», comment peut-on passer de ces ultimes soubassements cosmiques où nous sommes si fortement enracinés, comment peut-on passer à travers le monde-objet de la science, à un univers interpersonnel?

Est-ce qu'il y a une route à suivre?

Est-ce qu'il y a une expérience qui cautionne cette démarche et qui en garantit l'aboutissement?

Camus la pressentait sans doute lorsqu'il écrivait dans *L'Homme révolté*: «L'homme est la seule créature qui refuse d'être ce qu'elle est.»

L'homme est, en effet, capable de refuser le jeu, de refuser d'être un objet, et il le fait naturellement dès qu'il a pris assez vivement conscience qu'il subit l'univers et soi-même.

L'esclave, quand il prend conscience de son esclavage, ne peut que recourir à la révolte, et l'homme, quand il prend conscience de son esclavage originel, ne peut, logiquement lui aussi, que recourir à la révolte.

Révolte contre ses déterminismes irrationnels, révolte contre son asservissement à cet univers passionnel qu'il porte au fond de lui-même et qui ne cesse de se manifester comme un prolongement de cette histoire infantile qui nous accompagne tout au long de la vie, en nous imprégnant de ses inconscientes déviations.

Il est normal, en effet, dès que l'on se rend compte de cette situation, dès qu'on prend conscience qu'on subit l'univers et soi-même, il est normal qu'on refuse de marcher.

Prendre conscience de cette situation, aussi bien, c'est déjà, en quelque manière, voir s'ouvrir une issue libératrice.

Comment pourrions-nous, en effet, en être conscients si nous n'avions pas la possibilité de prendre un certain recul, de regarder au-delà du mur et d'envisager une autre dimension d'existence?

Il y a d'ailleurs des circonstances où la démarche à accomplir s'éclaircit. Il y a des circonstances où l'issue commence à s'expliciter: ce sont les moments où nous découvrons en nous une zone inviolable où personne ne peut pénétrer sans notre aveu.

Je répète, pour mémoire, cet instructif épisode d'un roman de Gottfried Keller, où un petit garçon de neuf ans – fils unique d'une femme devenue veuve, qui concentre sur lui toute sa tendresse, qui l'élève du mieux qu'elle peut, qui lui a enseigné à faire ses prières le matin et le soir et avant de se mettre à table – s'assoit un jour devant son dîner sans faire sa prière. Sa mère l'y rend attentif. Il fait la sourde oreille. Elle insiste, il n'entend pas davantage. Elle menace: «Tu ne veux pas faire ta prière?» – «Non.» – «Eh bien, va te coucher sans dîner.»

Bravement le petit garçon relève le défi et va se coucher sans dîner. Sa mère, prise de remords, se ravise et lui apporte son dîner dans son lit. Trop tard: depuis ce jour le petit garçon cessa de prier.

C'est qu'il a découvert en lui-même, précisément, une zone inviolable où sa mère elle-même ne peut pénétrer sans son aveu, et toute sa vie, sans doute, cette expérience ne fera que s'approfondir.

S'il est fidèle tout au moins à ce premier départ, il découvrira toujours mieux, au-dedans de lui-même, à condition qu'il la conquière et la respecte, cette zone inviolable où personne ne peut pénétrer malgré lui.

Aussi bien est-ce cela que nous pressentions dans l'amitié et dans l'amour: un être n'est aimable, un être n'est estimable, un être n'est digne de toute confiance que dans la mesure où il y a en lui une zone inviolable – une zone inviolable qui est le siège et le centre de sa dignité, de sa personnalité, de sa valeur enfin, et qui fait de lui un être unique, non interchangeable et irremplaçable.

Mais ce petit garçon – pour revenir à notre exemple –, qu'a-t-il fait pour se sentir en possession d'un domaine inviolable? Il n'a rien fait jusqu'à l'instant de cette découverte. Il s'est laissé pousser, il a été porté par la tendresse de sa mère, il n'a rien ajouté d'essentiel à ce que lui a apporté sa naissance charnelle.

Comment peut-il se sentir «inviolable», à moins que cette inviolabilité ne signifie une «vocation»?

Cette vocation se précise en quelque manière et se répercute dans une autre expérience qu'on peut faire à chaque instant: c'est l'impossibilité de tricher avec soi-même. On a beau faire, face à soi-même, on ne peut pas tricher. On peut feindre à l'égard des autres, on ne peut pas feindre *consciemment* à l'égard de soi-même.

Il y a une espèce de témoin incorruptible au-dedans de nous-mêmes qui exige une sincérité «intruquable», à laquelle nous ne pouvons nous dérober qu'en vivant une vie purement instinctive.

Il y a enfin une autre expérience qui va plus loin, qui est plus spontanée, qui est aussi heureusement très fréquente, c'est celle de l'émerveillement. Personne ne sait s'émerveiller plus que Jean Rostand. Personne ne montre une passion de la vérité plus entière, plus exigeante que lui, personne n'a mieux chanté la vérité qui est la grande passion du savant. Il en parle comme un mystique parle de Dieu. Et on sent bien, en effet, que cet amour de la vérité le meut tout entier, qu'il lui voue, comme il dit, une dévotion sans égale et qu'il est prêt à tout lui sacrifier pourvu qu'elle puisse s'affirmer en lui.

L'émerveillement, c'est précisément le moment où émerge en nous une nouvelle dimension, c'est le moment privilégié où nous sommes soudain guéris pour un instant de nous-mêmes et jetés dans une Présence que nous n'avons pas besoin de nommer, qui nous comble en même temps qu'elle nous délivre de nous-mêmes.

Un tel émerveillement, nous le savons, peut s'éprouver dans tous les secteurs : émerveillement devant la nature, émerveillement devant l'amour, devant l'enfant qui naît ou qui dort, devant une découverte scientifique ou devant une création artistique. Il n'y a pas de domaine où l'émerveillement ne nous ouvre des horizons infinis, pas de domaine où nous ne puissions éprouver, à certains moments, ce sentiment d'une rencontre libératrice : d'une rencontre avec toujours *la même Présence,* précisément parce qu'elle accomplit toujours en nous le même effet, parce que la rencontrer, c'est cesser d'être esclaves de nous-mêmes et entrer dans un domaine où la liberté s'actualise en libération de nous-mêmes.

Il y a incontestablement des moments où l'univers passionnel, comme l'univers-objet de la science, s'ouvre et respire dans une immense liberté qui suscite justement l'émerveillement et, pour un instant tout au moins, le don total de nous-mêmes.

Combien de savants qui ne nomment pas Dieu sont, par bonheur, aimantés par ce souci de ne pas tricher, par cette volonté absolue d'être fidèles à toutes les exigences de leurs recherches.

Combien donnent secrètement et silencieusement leur vie à la vérité, qui est leur source d'émerveillement.

Ce rappel d'expériences connues nous laisse entrevoir que notre libération – notre naissance à nous-mêmes, notre devenir humain, notre émergence hors du monde instinctif et du monde-objet – est liée à la rencontre avec une Présence, toujours la même, avec un « X » ineffable, dont la découverte nous guérit de nous.

Vous avez tous fait, j'en suis sûr, une expérience de ce genre. Saint Augustin témoigne de la sienne et il l'exprime magnifiquement dans un verset que vous savez par cœur, mais qu'il est bon de redire à cause de sa beauté : «Tard je t'ai aimée, Beauté si antique et si nouvelle, tard je t'ai aimée, et pourtant, tu étais dedans et moi dehors, où je te cherchais, en me ruant sans beauté vers ces beautés que tu as faites. Tu étais avec moi. C'est moi qui n'étais pas avec Toi.»

On ne peut mieux dire, et dans un langage plus universel, plus simple, plus fort, plus profond, cette expérience décisive où l'homme naît à soi, où l'univers s'ouvre et respire dans la liberté et où l'on passe soudain *du dehors au dedans.*

Car c'est là justement la caractéristique essentielle de cette expérience chez cet homme de génie – issu d'un père païen et d'une mère chrétienne, qui a erré à travers tous les systèmes, qui a lu tous les livres, et qui, tout grand artiste et grand écrivain qu'il soit, est incapable de dominer sa sensualité : à trente-trois ans, il naît enfin à lui-même, en constatant que jusqu'alors il a été *dehors,* il a subi sa vie, il a été trompé, il a été porté par l'univers, il ne s'est jamais porté lui-même, il a été simplement le jouet de forces inconscientes et aveugles.

Et bien sûr, s'il prend conscience qu'il était dehors, c'est qu'il se trouve soudain dedans, au cœur d'un univers où il ne subit plus ses déterminismes, où il n'est plus esclave de l'univers passionnel, plus esclave du monde-objet, plus esclave de son «je-moi» complice, parce qu'il est jeté dans un monde de lumière et d'amour, au contact d'une Présence qui le délivre et le comble, tout à la fois, cette Présence qu'il appelle «la Beauté si antique et si nouvelle».

Et maintenant il connaît qui il est, et maintenant il existe authentiquement, et maintenant il est devenu vraiment homme, dans ce dialogue avec un Autre, où il expérimente ce que Rimbaud a si parfaitement exprimé, sans savoir peut-être tout ce que ce mot recouvrait : «Je est un autre.»

Il a trouvé l'Autre, en effet, au plus intime de lui-même, l'Autre majuscule, l'Autre qui l'attendait, l'Autre qui patientait, l'Autre qui ne le contraignait pas, l'Autre qui ne lui imposait pas sa présence, l'Autre qu'il découvre, enfin, dans le même temps qu'il se découvre lui-même : comme une relation vivante à cet Autre, comme une offrande d'Amour en laquelle toute sa vie s'accomplit. Et il en éprouve un tel bonheur qu'il ne peut assez exprimer la joie de sa délivrance : Dieu est la Vie de sa vie, Dieu est plus intime à lui-même que le plus intime de lui-même, tellement présent qu'il ne peut retenir ce cri : «Vivante sera désormais ma vie toute pleine de Toi ! »

Voici donc une expérience où l'Autre unique, cet «X» que nous voyons poindre dans tous nos émerveillements, voici le moment où cet Autre apparaît comme Quelqu'un, comme souverainement personnel.

Si Flaubert a pu écrire magnifiquement : «Pourquoi vouloir être quelque chose quand on peut être quelqu'un ? », il aurait pu ajouter : «Mais on ne peut être quelqu'un que pour quelqu'un. » Et sans doute nous sommes entourés d'humains que nous pouvons aimer et nous sommes suffisamment portés à le faire. Mais que pouvons-nous aimer dans les autres, que pouvons-nous respecter, à quoi pouvons-nous, en eux, nous consacrer, éventuellement nous sacrifier ? Ce n'est pas, bien sûr, à leur «moi» complice, biologique, animal, passionnel, qui fait d'eux les esclaves d'eux-mêmes, comme nous le sommes si souvent de nous-mêmes.

Ce que nous pouvons aimer dans les autres, c'est leur libération et leur grandeur possibles, c'est leur dignité virtuelle, c'est leur vocation d'être source et origine, leur capacité de devenir une valeur, un bien universel, irremplaçable.

Il est clair que, si on relève un ivrogne du fossé, ce n'est pas pour l'encourager dans son vice, mais pour l'aider à échapper à cette servitude, en lui offrant la chance de se faire homme.

Nous ne pouvons aimer vraiment les autres, nous ne pouvons leur ouvrir en nous un espace où ils se sentent accueillis que pour les aider à acquérir ou plutôt à devenir, comme nous devons le faire nous-mêmes, cette valeur infinie qui seule mérite un amour sans réserve.

Et c'est pourquoi, finalement, au cœur de l'amour, au cœur de l'émerveillement, au cœur de la vérité surgit toujours ce Quelqu'un, cette Présence qui est le plus beau présent, qui est le cadeau infini d'un amour illimité, le don merveilleux qui nous attend au plus intime de nous-mêmes.

«Ou bien, ou bien», comme disait Kierkegaard, car il n'y a pas de milieu.

Ou bien il n'y a pas d'homme dans un univers sans Dieu : et il n'y a rien que l'absence, l'absurde, le non-sens partout. Mais cela n'est pas vivable, et au fond personne n'y croit qui consent à vivre. Ceux qui proclament le plus passionnément l'absurde comme l'essence du réel font comme Sartre lorsqu'il semait le doute : il s'exceptait lui-même en se considérant comme le prophète du doute, et cela le situait dans l'être et pouvait provisoirement lui suffire. Personne, aussi bien, ne peut admettre radicalement l'absurde, le non-sens absolu, sans se tuer.

La vie est impossible, en effet, sans un certain assentiment, sans une certaine foi, sans une certaine adhésion à une valeur, quelle que soit la manière de la définir.

Ou bien l'homme est possible : à condition qu'il consente à se faire tel.

Et il est certain que la seule manière pour nous de nous faire hommes, la seule manière d'émerger, la seule manière de ne pas nous subir et de ne pas être simplement portés par les forces inconscientes et aveugles qui sont à l'œuvre dans l'univers, c'est de nous prendre à la racine de nous-mêmes et d'offrir tout ce que nous sommes à cette Présence qui nous offre tout ce qu'elle est.

Car cette Présence, dans le dialogue libérateur où notre vie jaillit en plénitude, cette Présence apparaît comme pur Amour. Si elle était là alors que nous n'étions pas là, si elle était dedans alors que nous étions dehors, si elle ne se faisait sentir par aucune contrainte, c'est que, justement, elle est éternellement tout Amour, rien qu'Amour, comme nous ne pouvons l'atteindre que par le nôtre.

Et ainsi le visage unique, le visage qui nous attend au plus intime de nous-mêmes, le visage qui est la lumière de tous les visages, le visage que nous cherchons dans tous les êtres aimés, le visage qui peut seul rassembler tous les hommes dans une vraie fraternité, ce visage se révèle en nous comme un visage de don, de dépouillement, de silence et de pauvreté.

Le seul chemin vers nous-mêmes, le seul chemin vers notre liberté, le seul chemin vers notre dignité, notre personnalité, notre universalité : c'est Lui. On n'en peut douter lorsqu'on a pris conscience de son « moi » possessif et passionnel, quand on découvre qu'on n'est pas, qu'on n'existe pas encore *humainement,* qu'on est une chose, un objet.

Or, pour être plus qu'un objet, il faut passer de quelque chose à « quelqu'un ». Il faut prendre tout le paquet, se saisir soi-même à la racine de son être pour s'offrir et se donner. C'est dans ce dépouillement, dans ce vide que l'on fait en soi, c'est dans ce vide créateur que l'on existe, enfin, en face de Celui qui éternellement s'est vidé de lui-même et qui apparaît, en nous, comme l'espace infini où notre liberté se découvre et s'accomplit.

Il est donc certain que la rencontre avec soi coïncide avec la rencontre avec Dieu, puisque pour Augustin, comme pour nous, « la Beauté si antique et si nouvelle », c'est Lui. D'ailleurs, peu importe le nom qu'on lui donne – qu'on l'appelle Vérité, Beauté, Musique silencieuse, qu'on l'appelle l'Ineffable, « X » ou Oméga –, peu importe, dès qu'on l'a rencontré comme la Présence qui nous délivre de nous-mêmes et qui nous permet de devenir, pour les autres, un espace sans frontières où ils se sentent accueillis.

Mais il faut noter, cela est capital, que c'est *au même moment* que l'on atteint à soi – j'entends, à ce nouveau « moi », à ce « moi-personne », à ce « moi-valeur », à ce « moi oblatif » – et que l'on rencontre en soi « la Beauté si antique et si nouvelle » qui a ravi le cœur de saint Augustin.

Il y a une symbiose, une unité de vie, une solidarité indissoluble entre ma libération et la rencontre avec cet Amour « plus intime à moi-même que le plus intime de moi-même ».

Et c'est à ce tournant que l'on peut se demander *de quel Dieu l'on parle et à quel homme*. Est-ce que la crise, dans le monde chrétien d'aujourd'hui, ne provient pas de cette ambiguïté fondamentale sur Dieu et sur l'homme?

D'abord on prend l'homme là où il n'est pas encore, on considère l'homme embryon dans un univers embryonnaire, l'homme-objet réduit à ses déterminismes individuels et collectifs : et l'on est naturellement incapable de percevoir en lui une quelconque transcendance. Pour en découvrir une, il faut saisir l'homme lorsqu'il surgit comme source et origine, lorsqu'il naît à son humanité dans une relation qui l'ordonne à un Autre (infini) au plus intime de soi.

C'est une seule et même chose, en effet, de devenir quelqu'un, de cesser de se subir et de rien subir et d'expérimenter cette Présence créatrice, qui est la respiration même de notre dignité, de notre grandeur et de notre liberté. La quête de l'homme ne peut s'achever qu'en expérience de Dieu.

On ne peut guère en douter, au fond de tous les débats qui remettent en question la foi, on dépiste cette ambiguïté : comme on en est resté à l'homme-objet, extérieur à soi, on a situé Dieu dehors, on l'a logé dans l'espace, derrière les étoiles, comme un étranger, comme un maître lointain, comme un dominateur, comme une limite, comme une menace ; on en a fait une idole dont la science n'a pas besoin, car elle se suffit dans son monde d'évidence matérialisable, elle se suffit dans son ordre, où elle n'admet d'autre type d'explication que celui auquel la voue sa méthode.

L'univers passionnel, livré à ses déterminismes instinctifs, pour d'autres motifs, reste également indifférent, sinon hostile à ce Dieu, étranger à la vie.

Il reste à chercher le Dieu source de vie, dans un univers qui, pour nous, *n'est pas encore,* dans cet univers interpersonnel auquel nous ne pouvons accéder que par une nouvelle naissance : celle qui est suggérée dans l'entretien de Jésus avec Nicodème.

Il faut naître de nouveau, en effet, pour découvrir en soi, comme Jésus le suggère dans l'entretien avec la Samaritaine, la source qui jaillit en vie éternelle.

Il est rarement utile de parler de ce Dieu caché en nous. Il faut le vivre, car Il est une présence qui n'est efficacement connaissable qu'en vertu d'une libre adhésion.

Aussi bien est-ce la loi de l'univers interpersonnel d'être construit sur un engagement réciproque. Alors que la science ne demandait qu'une fidélité à la méthode, l'univers interpersonnel ne peut surgir – vous en êtes témoins dans votre vie nuptiale, dans votre vie parentale, dans votre vie filiale, vous en êtes tous témoins dans toutes vos amitiés – que dans l'espace que l'on devient pour accueillir l'autre.

Les relations entre personnes sont conditionnées par l'amour, par un engagement mutuel, et la connaissance dans cet univers interpersonnel est rigoureusement fonction du don de soi.

C'est pourquoi plus on aime, plus on connaît, moins on aime, moins on connaît, et quand on n'aime plus on ne connaît plus.

L'amour est vraiment la seule clé de ce monde de l'esprit où résident toutes nos valeurs. Nous n'y pouvons pénétrer, progresser et demeurer que par un engagement sans cesse renouvelé, que par un amour toujours plus généreusement donné, que par un dépouillement toujours plus profond.

Il n'y a pas d'autre voie pour résoudre le problème que nous sommes, qui est au fond le seul problème.

Quand on chemine, aussi modestement que ce soit, dans cette voie, on en est de plus en plus convaincu, comme on découvre avec toujours plus d'évidence que «je-moi» = «zéro».

Je ne suis pas, mais je puis être en un Autre, qui est mon plus proche prochain.

Et quand on découvre cet Autre, quel bonheur! On respire enfin, on voit s'ouvrir cet univers fermé, emprisonné dans ses déterminismes. On le sent se dilater dans un immense Amour.

On entrevoit, alors, que la vérité elle-même n'est pas autre chose que la perception ineffable, à travers le réseau des phénomènes soumis au déterminisme, d'un Visage, d'une Présence, d'une Lumière d'Amour qui illumine le plus secret de nous-mêmes.

On ne saurait concevoir Dieu dans cette perspective comme une limite, comme une menace, comme une autorité qui forge sans nous notre destin, qui joue la pièce tout seul.

Il est Celui que nous rencontrons, dès que nous nous rencontrons vraiment nous-mêmes : comme le cœur de notre intimité.

Et c'est pourquoi, dans le silence de nous-mêmes, quand nous faisons taire tous les bruits, nous percevons cette musique silencieuse qui est le Dieu vivant.

C'est dans cette direction qu'il faut chercher ; c'est dans cette direction qu'il faut témoigner. Il faut rompre avec cette ambiguïté sur Dieu. Il faut que les hommes ne puissent se sentir sous la tutelle d'un despote, qu'ils n'aient jamais l'impression que leur vie est arbitrairement limitée et qu'ils doivent constamment s'assujettir à une règle qui leur est imposée du dehors.

Nous sommes, au contraire, confrontés avec une exigence qui vient du dedans : une exigence d'être, d'être toujours davantage et, pour être, de se donner, en faisant de soi-même une offrande de lumière et d'amour. C'est à travers ce don de soi que l'on rencontre le Visage adorable, ce Visage qui nous attend au plus intime de nous, ce Visage qui est au cœur de toutes nos tendresses comme leur éternité, ce Visage du premier Amour, qui nous rend inviolables pour nous-mêmes et pour les autres : dans la mesure où nous devenons réellement le sanctuaire de la Présence infinie.

2

Le problème du mal

Peu après 480 avant Jésus-Christ, le grand poète Eschyle écrivait *Les Perses*. À peu près au même moment, un poète juif inconnu écrivait le livre de Job. Deux chefs-d'œuvre qui diffèrent essentiellement, car la problématique d'Eschyle et celle du livre de Job sont totalement divergentes.

La vision du monde d'Eschyle est dominée par le destin. Les Grecs ont bénéficié d'un destin favorable dans la victoire navale de Salamine. Mais il aurait pu leur être hostile. Il convient donc d'être modeste dans le triomphe, de garder la mesure, car il se peut que dans l'avenir les Hellènes soient victimes d'un destin contraire. C'est pourquoi, dans la tragédie du poète grec, le chœur s'émeut sur la douleur de la mère de Xerxès qui attend le retour de son fils et qui apprendra, en le retrouvant, le désastre dont les Perses viennent d'être frappés.

Dans le livre de Job, nous avons affaire avec un Dieu nettement personnel, qui sait, qui prévoit, qui veut et qui dispose du destin des hommes. Et c'est pourquoi le personnage central du poème, Job, après avoir perdu tous ses biens et tous ses enfants, sa santé et son honneur, met en cause ce Dieu dont il dépend, qui peut tout et qui connaît son innocence.

Comment l'innocence peut-elle être liée au malheur : voilà le scandale. Job fait appel à la justice de Dieu. Il lui intente un procès d'autant plus passionné que ses prétendus amis, venus pour le consoler, l'accablent en lui affirmant que sa misère présente est certainement la sanction méritée d'une faute cachée.

Alors il se monte, fort de son innocence qu'il clame devant les hommes et devant Dieu. Il met Dieu en quelque sorte au pied du mur, jusqu'à ce qu'enfin il doive s'humilier, le front dans la poussière, devant la Toute-Puissance divine qui lui fait sentir implacablement sa totale impuissance.

C'est sans doute ce qui fait l'intérêt immortel de ce livre – qui n'est bien sûr qu'une manière humaine de poser le problème du mal – que l'homme y fait appel à la justice et que Dieu (tel qu'il est conçu dans le poème) répond par la puissance.

Il y a, évidemment, ici, inadéquation entre le cri de l'homme et la réponse de Dieu. Le niveau de la question dépasse celui de la connaissance que l'auteur du livre pouvait avoir de Dieu. Autrement dit, la révélation divine n'était pas encore au niveau du problème posé. Ce problème était d'ailleurs lui-même en porte-à-faux, puisque l'horizon du poète est essentiellement terrestre. Tout se joue dans cette vie. C'est ici-bas que l'innocent doit être récompensé par la prospérité et le méchant puni par la misère.

S'il y a une survie, elle est tellement larvaire que la descente au schéol, comme on l'apprend en lisant la Bible, est un malheur que le roi Ézéchias supplie Dieu d'éloigner de lui.

Il n'en reste pas moins que le livre de Job, bien qu'il se situe dans un univers unidimensionnel, portera toujours le cri de l'homme devant la souffrance qu'il ressent comme injustifiée et que toutes les générations y trouveront la justification de leur protestation contre le mal.

Mais qu'est-ce au juste que le mal ? Pouvons-nous le définir ? En disant que le mal est *la privation d'un bien dû*, nous cernerons suffisamment le débat.

En tant que privation d'un bien dû, le mal s'oppose à la perfection, à l'intégrité de l'être (selon son rang dans la hiérarchie des existants) qui constitue précisément le bien.

Mais y a-t-il des biens dus? Un enfant naît sans membres, il n'est qu'un tronc. Qui ne sentira qu'il lui manque quelque chose et que ce manque est un mal?

Un enfant naît idiot: c'est pire encore, puisque toutes ses chances d'humanité sont compromises. Un homme est malade: cela est contraire à la santé qui semble bien être l'état normal de l'homme. Un homme sombre dans la folie: le malheur est plus grand, puisque désormais il va mener une vie végétative, privée de la lumière de la raison.

Un homme meurt subitement dans la force de l'âge et, apparemment, en bonne santé. Les siens peuvent à bon droit éprouver cet événement comme une catastrophe qui compromet un équilibre familial qu'il sera peut-être impossible de rétablir. Même en dehors d'une telle circonstance, statistiquement exceptionnelle, la mort généralement entraîne le deuil qui l'interprète comme un mal.

D'autres fléaux allongent la liste des maux. La famine qui prive une collectivité des moyens indispensables pour subsister. Les taudis qui rassemblent jusqu'à vingt personnes dans une même chambre, en détruisant toute vie privée et toute pudeur. La guerre qui tue les hommes pour résoudre leurs conflits.

Le pire des maux cependant – quelle que soit la gravité de ceux qui viennent d'être évoqués – est celui qui s'attaque aux racines mêmes de notre humanité: la perversité volontaire où l'homme attente à sa propre dignité, en refusant de se faire homme et en faisant peser sa déchéance sur tous ceux qui l'entourent et, finalement, sur tout le genre humain et sur tout l'univers.

Le mal, on le voit, comporte des degrés, il implique une hiérarchie. Tous les maux ne se situent pas au même niveau et il se peut que certains d'entre eux soient réductibles au bien et puissent concourir à son épanouissement.

Pascal a écrit une prière *pour le bon usage des maladies,* dont il espère une indispensable purification.

Une femme née sans jambes et sans bras, Denise Legrix, si ma mémoire est fidèle, a écrit un livre admirable : *Née comme ça*, qui s'achève dans un hymne à la joie.

J'ai vécu moi-même, cette année, la mort d'un ami très cher qui a fait de sa maladie (cancéreuse) une prodigieuse ascension, en se réalisant à travers elle comme jamais il n'aurait pu le faire sans elle et en répandant, à travers cette souffrance transfigurée, une lumière à laquelle tous ceux qui ont eu le privilège de l'approcher ont été sensibles.

La mort elle-même se présente parfois comme la seule issue à des difficultés insurmontables. On peut penser que Péguy a vu dans la guerre de 1914, où il devait périr dès les premiers engagements, la seule possibilité de remédier à une situation conjugale qui lui interdisait l'accès aux sacrements.

Mais il y a des maux qui paraissent irréductibles au bien. Les adultes peuvent à la rigueur tirer parti de leurs souffrances, tant qu'elles n'altèrent pas leur personnalité. Ils peuvent faire de leur mort elle-même un acte de vie. Mais les tout petits enfants qui sont livrés à la douleur sont incapables, semble-t-il, de l'ordonner à un bien dont ils n'ont pas la notion.

Toute une littérature a dénoncé ce scandale de la souffrance des innocents.

« Une seule larme d'enfant, a pu dire Bielinski, est une démonstration irréfutable de l'inexistence de Dieu ».

Ivan Karamazov, comme vous le savez, proclame avec passion que même une vie éternelle ne peut compenser le tort infligé à un enfant torturé. Camus a repris cet argument dans *La Peste* où, devant l'atroce agonie d'un enfant, le docteur Rieux affirme qu'il vaut mieux nier l'existence de Dieu que de le rendre responsable d'une si monstrueuse injustice.

Mais avons-nous atteint jusqu'ici le fond du mal ? Y a-t-il un mal absolu ? Dans la mesure où il y a une valeur absolue, il faut répondre oui. Mais quel peut être ce mal absolu ? Nous l'avons déjà mentionné : c'est la dégradation volontaire de l'homme en soi ou en autrui.

Malraux dans ses *Antimémoires* souligne le dessein féroce et concerté de déshonorer l'homme, d'insulter à sa dignité, de fouler aux pieds son inviolabilité, qui semblait être le mot d'ordre des tortionnaires dans les camps de prisonniers organisés par les nazis entre 1939 et 1945. Il y voit le mal suprême, le mal absolu. Cela est vrai dans la mesure où l'on croit en l'homme, dans la mesure où il y a, en effet, en l'homme une dimension inviolable qui exige le respect de tout être humain.

Laissant, pour le moment, cette question ouverte, demandons-nous quelle est *la source* du mal dans le monde où nous vivons. Il n'y a pas qu'une source, comme nous allons le voir.

Le mal peut avoir son origine dans l'homme, bourreau de l'homme, ou, ce qui est pire, dans l'homme, corrupteur de l'homme. Je pense à ces livres d'Odette Philippon sur la traite des femmes, d'autant plus émouvants que sa propre sœur a été enlevée pour être livrée à la prostitution. Le mal peut provenir des animaux féroces en quête de nourriture. Un tigre dévore un homme sans être aucunement impressionné par la dignité humaine.

Les micro-organismes, les microbes, qui grignotent le cerveau d'un homme de génie n'ont pas plus de scrupules. Ils prospèrent dans ce milieu comme ils le feraient dans le cerveau d'un singe anthropomorphe.

Mais plus impressionnantes encore sont les agressions cosmiques : les tremblements de terre, les éruptions volcaniques, les raz de marée, les inondations, la foudre, tous ces phénomènes devant lesquels l'homme est désarmé et dont les plus graves peuvent anéantir toute une région sans tenir compte des valeurs humaines qui peuvent s'y trouver.

Et c'est bien là que le scandale atteint le comble : comment pouvons-nous être enracinés dans un univers qui paraît ignorer toutes nos valeurs.

Camus a été particulièrement sensible à ce scandale : pourquoi sommes-nous liés de force à un monde qui nous piétine, à un monde indifférent à toutes nos valeurs ? Ce problème l'a obsédé et il a bien voulu m'écrire, à la suite d'une conférence sur *La Peste* faite au Caire et dont le texte lui avait été communiqué tout à fait à mon insu, une petite lettre d'une bouleversante humilité, où il reconnaissait qu'en effet le problème du mal était sa plus difficile épreuve.

Nous pouvons d'ailleurs ajouter que «la belle ordonnance de l'univers» a pour contrepartie, sur notre planète, la destruction des vivants les uns par les autres. La vie, sur la terre, ne se maintient que par la mort et il semble que les vivants n'y puissent être que proies ou prédateurs.

Que ferons-nous de notre lyrisme et de toutes nos émotions esthétiques devant la splendeur du monde, en découvrant ses soubassements comme un immense charnier ?

Le mal est donc, en tout état de cause, un problème inéluctable qui peut nous induire à la révolte, au suicide et au refus de Dieu dans une accusation qui ne trouvera jamais sa réponse : à moins que Dieu ne soit d'accord avec nous.

Et nous avons, heureusement, toute raison de penser que Dieu est d'accord avec nous dans ce scandale que nous éprouvons devant le mal et dans la condamnation que nous portons contre lui. Il s'agit bien entendu du Dieu qui est l'espace intérieur où notre liberté respire, du Dieu qui est l'axe et le centre de notre personnalité autant qu'il est l'unique fondement de notre inviolabilité, du Dieu qui est le bien en personne, du Dieu que saint Augustin découvre comme «la Beauté si antique et si nouvelle», qui était, bien qu'à son insu, toujours avec lui au plus intime de lui. C'est ce Dieu-là qui se révèle comme tout amour dans son attente de nous en nous, c'est ce Dieu-là qui nous inspire, avec la passion du bien, l'horreur du mal, et qui nous induit, conséquemment, à ressentir comme un scandale la présence du mal dans l'univers.

Mais alors la question se pose : ce Dieu intérieur, ce Dieu qui est l'hôte bien-aimé de notre âme, ce Dieu qui est « une musique silencieuse », comme dit saint Jean de la Croix, ce Dieu qui est tout amour, est-il le Dieu créateur, j'entends le Dieu créateur de cet univers de larmes et de sang, est-il l'inventeur et l'organisateur de cet immense charnier ? Est-il responsable de cet ordre du monde qui nous apparaît souvent comme un si profond désordre ?

Allons-nous être amenés à attribuer la création du monde à un autre Principe et à considérer le Dieu « plus intime à nous-mêmes que le plus intime de nous-mêmes » comme la victime d'un démiurge, inventeur du mal ?

Grave question, la plus grave peut-être que nous puissions nous poser devant le mystère du mal : y a-t-il un autre principe du monde que le Dieu intérieur qui est « la Vie de notre vie » ?

Si nous admettons que c'est le Dieu de notre intimité qui est réellement la source unique de tout être qui n'est pas lui, nous devons ajouter aussitôt qu'il ne peut l'être que selon ce qu'il est, c'est-à-dire comme l'Amour qui n'est qu'amour.

D'où Il apparaît immédiatement en situation de réciprocité avec l'univers.

Cela nous deviendra aisément saisissable si nous comparons le chapitre 3 de la Genèse avec les récits synoptiques de l'agonie de Jésus. Si nous relisons ce chapitre 3 de la Genèse, qui est celui de la chute originelle, nous y rencontrerons un Dieu juste, bien sûr, un Dieu innocent du mal auquel l'homme va succomber, mais c'est un Dieu maître, qui est hors du jeu, qui dispose de tout sans être engagé à rien, qui impose une épreuve dont l'échec sera sanctionné par de terribles châtiments et qui les inflige, en effet, une fois la faute commise, laquelle consiste essentiellement dans la méconnaissance de son autorité souveraine[1]. Il est vrai qu'une porte reste ouverte sur une éventuelle rédemption annoncée en termes voilés.

---

1. Tout au moins pour l'auteur du récit. (Voir notre chapitre sur le péché originel.)

Dans les récits synoptiques de l'agonie, nous rencontrons, au contraire, un Dieu victime, abandonné, solitaire, qui quête l'amitié de ses disciples endormis.

Il y a évidemment une distance immense d'un récit à l'autre. Dieu n'est plus, à Gethsémani, le maître qui s'impose, qui nous livre à notre destin sans être aucunement solidaire de nous, et qui pourrait tout aussi bien jouer la pièce tout seul : dans le jardin de l'agonie, le mal n'apparaît plus comme la simple transgression d'un commandement, mais comme une blessure d'amour faite à Quelqu'un, de même que, réciproquement, le bien s'y révèle comme Quelqu'un à aimer.

Nous ne sommes plus ici en face d'une loi à laquelle nous serions assujettis : nous sommes en face de Quelqu'un qui nous aime, qui ne nous atteint que par son amour comme nous ne pouvons le joindre que par notre amour. C'est pourquoi saint Paul nous dit, magnifiquement, que le seul bien est l'Amour (1 Co 13), tandis qu'en contrepartie le mal est un refus d'amour, une blessure d'amour, qui aboutira finalement à la mort de Dieu dans la crucifixion. Rien ne prouve mieux que, selon une idée maîtresse de saint Paul, nous ne sommes plus sous la Loi, mais engagés personnellement avec Dieu dans un mariage d'amour, évoqué par le même apôtre : « Je vous ai fiancés à un Époux unique pour vous présenter au Christ comme une Vierge pure » (2 Co 11, 2).

La comparaison que nous venons de rappeler entre Genèse 3 et les récits synoptiques de l'agonie semble ainsi confirmer l'intuition que nous suggérait l'expérience – à laquelle saint Augustin a donné une si pure expression – du Dieu qui est notre libération, à savoir qu'il est atteint le premier par le mal ; autrement dit, il est la première victime du mal.

Mais comment peut-il être le créateur de cet univers si le mal peut s'y introduire au point qu'il en soit la première victime ?

La réponse est à chercher dans l'Amour absolu qu'il est.

L'acte créateur n'est pas un acte magique qui imposerait l'être comme s'impose une loi despotique. Il est le don de son Amour qui est lui-même et qui appelle une *réciprocité,* en ouvrant l'anneau d'or des fiançailles éternelles.

L'acte créateur, autrement dit, inaugure une histoire à deux, une histoire d'amour, où la créature intelligente – homme, ou ange, ou habitant d'une autre planète que la nôtre doué d'esprit – est appelée à collaborer *librement* à sa propre existence et à celle du monde, mais peut aussi se soustraire à cette collaboration et entraîner un *échec* de l'acte créateur, une *décréation* qui empêche l'intention créatrice d'aller jusqu'au bout d'elle-même[1].

Une comparaison enfantine peut symboliser cet échec. Deux fiancés, supposons, construisent une maison qui sera leur maison nuptiale. Ils l'édifient avec leur amour. Ils en disposent toutes les pièces en vue de leur amour, ils en ordonnent à leur amour le mobilier et tous les ornements intérieurs. La maison achevée, l'un trahit l'autre, ou tous les deux cessent de s'aimer : que reste-t-il de la maison ?

Sa matérialité, bien sûr, mais elle n'est plus la maison nuptiale construite par l'amour et pour l'amour. Elle n'est plus qu'un amas de pierres, privée de sa signification essentielle et vouée à la ruine.

On peut concevoir qu'il en aille de même pour cette demeure nuptiale que devait être l'univers : c'est, du fait de quelque refus de la part d'une ou de plusieurs créatures raisonnables, une maison inachevée, une pyramide tronquée, un monde embryonnaire réduit à sa matérialité, comme l'homme

---

1. À titre d'analogie, on peut se référer à Marc 6,5 et Matthieu 13,58 (*cf.* Lc 4, 23-27) qui notent que le manque de foi constitue un obstacle à l'accomplissement de miracles à Nazareth. Le récepteur humain doit être en quelque sorte au diapason de l'émetteur divin : dans une disponibilité spirituelle qui écarte tout soupçon d'action magique. De même la consigne du silence (Mc 1, 44 ; 5, 43 ; 7, 36) entend préserver l'intériorité de la puissance qui ressuscite ou qui guérit : avec l'intention de susciter la nôtre.

lui-même reste embryonnaire aussi longtemps qu'il reste dehors, comme dit saint Augustin, étranger à l'Amour qui l'attend au *dedans.*

Dieu, bien sûr, n'a jamais cessé d'être là. Il n'a jamais cessé de se donner. Il n'a jamais cessé de créer ce dont il est la source, mais une ou plusieurs créatures intelligentes ont intercepté le rayon de l'Amour divin, ont bloqué son expansion, l'ont empêché de susciter la dimension d'amour qui devait couronner l'univers et lui donner sa véritable signification.

Cela nous paraîtra moins paradoxal si nous songeons à tous les échecs que nous infligeons, si souvent, nous-mêmes en nous, au Dieu qui est «plus intime à nous-mêmes que le plus intime de nous-mêmes».

Sans cesse notre indifférence, notre oubli, notre complicité avec nos impulsions passionnelles, effacent, en quelque sorte, et abolissent sa Présence, parce que, s'il ne cesse de nous attendre au plus secret de nous, il est totalement incapable de jamais nous contraindre.

La création, sous un certain aspect, peut donc, justement parce que Dieu n'est qu'Amour, aboutir à un échec. Elle est, en fait, mutilée. Elle est, comme dit saint Paul (Rm 8, 19-22), dans les douleurs de l'enfantement. Elle gémit, parce qu'elle a été soumise malgré elle à la vanité. Elle attend la révélation de la gloire des fils de Dieu.

Dans ces versets si profonds et si inattendus, nous voyons, en quelque sorte, s'établir la soudure entre l'attitude de l'homme et l'état de l'univers.

Aussi bien, quand l'univers est scruté avec probité, étudié avec humilité et avec amour, quand cette étude aboutit chez un savant à la découverte de la Vérité, quand il se sent tout à coup rempli d'une lumière qui devient pour lui source de vie personnelle, nous voyons, pour un moment tout au moins, se rétablir cette unité, qui semble alors si naturelle, entre l'univers matériel et l'esprit.

Si nous sommes enracinés dans cet univers, si de quelque manière nous en sommes issus, si nous demeurons solidaires de lui, et si, en même temps, nous avons une vocation de liberté et de dignité, il n'est pas déraisonnable de penser que l'accomplissement de cette vocation puisse et doive rejaillir sur lui, comme le refus de l'accomplir doit contribuer à sa dégradation, à sa décréation.

En méditant sur l'attente de la révélation des fils de Dieu, qui travaille, selon saint Paul, toute la création, nous pouvons concevoir qu'elle est blessée : à la mesure des refus d'amour que peuvent opposer à l'initiative créatrice de l'éternel Amour les êtres intelligents existant dans cet immense univers.

Rien n'empêche d'admettre, dans cette perspective, que le Dieu *intérieur*, caché en nous, soit aussi le Dieu *créateur*, mais d'un univers qui, pour l'essentiel, n'est pas encore, d'un univers qui n'a pas encore atteint ses vraies dimensions, d'un univers jusqu'ici embryonnaire et qui ne pourra s'achever, en avant de nous, que si l'homme et les autres créatures douées d'intelligence, où qu'elles se trouvent (dans ce même univers), accomplissent leur vocation et ferment l'anneau d'or des fiançailles éternelles, en disant oui au Oui éternel qui est Dieu même.

Le Dieu intérieur, le Dieu sensible au cœur, comme dit Pascal, est le seul vrai Dieu. Rien ne s'oppose à ce qu'il soit le créateur de tout l'univers, à condition de voir dans la création une histoire à deux, qui ne peut s'achever sans le concours des créatures intelligentes, parce que le sens même de l'univers est l'Amour.

Et là où il y a refus d'amour, l'Amour qui est Dieu ne peut qu'échouer, sans évidemment cesser, pour autant, d'être l'Amour éternellement présent, éternellement offert.

C'est pourquoi, finalement, la seule réponse adéquate au scandale du mal, c'est l'agonie et la crucifixion de Jésus-Christ.

C'est en lui, en effet, que s'exprime, comme en un sacrement visible, cette mystérieuse fragilité de Dieu, qui est certes tout-puissant dans l'ordre de l'amour, qui peut tout ce que peut l'amour, mais qui ne peut rien de ce que ne peut pas l'amour. Il ne peut donc jamais nous contraindre, nous humilier, nous blesser, nous rejeter.

Il ne peut être, encore une fois, qu'un don éternellement offert.

Et, s'il en est ainsi, on peut concevoir que Dieu soit la première victime du mal. On peut même dire que plus le mal est scandaleux, plus il apparaît que Dieu est la première victime du mal.

Aussi bien, si l'on peut estimer, avec Malraux, que déshonorer l'homme et bafouer son inviolabilité est, dans la réalité de notre histoire, la pire agression et le mal absolu, c'est dans la mesure où l'on pressent que l'homme est le sanctuaire d'une Présence infinie qui consacre sa dignité et fonde son inviolabilité.

Si le respect de l'homme doit s'imposer à nous, en effet, c'est précisément parce que, dans notre expérience, le destin de l'homme est inséparable du destin de Dieu, le règne de Dieu ne pouvant se réaliser concrètement que par le rayonnement de la Présence divine à travers une vie humaine transfigurée.

Et c'est pourquoi il est vrai de dire qu'il n'y aurait pas de mal, finalement, pas de mal absolu en tout cas, sans Dieu. C'est parce que Dieu *est* que le mal peut avoir ce visage monstrueux, insoutenable et scandaleux comme le viol d'une Valeur infinie.

Aussi bien voyons-nous qu'à travers toutes les douleurs humaines, à travers les maladies, la folie, la mort même, la vie peut se récupérer et s'éclairer dans le rayonnement de l'amour, et il arrive, en effet, que ce soient précisément les infirmes, les êtres voués à la souffrance, qui donnent à la vie son visage le plus noble et le plus beau.

Mais lorsque la perversité triomphe, lorsque l'homme se déshonore ou déshonore les autres, en méprisant en soi ou en eux cette dignité incommensurable que lui communique la

Présence infinie, alors le mal atteint son sommet parce que la plus haute Valeur est trahie, qui est Dieu en nous.

C'est sans doute la prise de conscience de cette identification de l'homme avec Dieu et de Dieu avec l'homme qui a provoqué, dans une tradition mystique et liturgique du christianisme, une attitude de *compassion* envers Dieu.

Saint François d'Assise a pleuré près de vingt ans sur la Passion du Seigneur, jusqu'à en perdre la vue.

Comment le comprendre, si ce plus parfait des chrétiens n'avait pas éprouvé que Dieu est victime en nous, par nous, pour nous ?

Rien ne me paraît plus émouvant que cette ligne de spiritualité qui perçoit dans le mal, dans tout mal, une souffrance divine et qui s'efforce d'y remédier par un attachement d'autant plus grand à Dieu et à l'homme solidaire de Dieu. Aussi bien, qui a été plus compatissant que saint François pour les hommes, pour les animaux, pour toute la création, qui en a plus fraternellement ressenti la douleur, qui en a mieux chanté la résurrection ?

Il n'y a aucun doute que cette méditation, aussi sommaire qu'elle soit, du mystère du mal, nous amène à découvrir plus profondément le Dieu intérieur qui est la Vie de notre vie, ce Dieu fragile et désarmé qui nous attend au plus intime de nous et qui nous est confié en nous, en autrui et dans tout l'univers.

Le mal, comme le bien, a finalement une mesure infinie dont la croix est le symbole, la croix qui nous révèle l'immensité de la vie humaine, mesurée à la vie même de Dieu, immolée pour elle.

Comment ne pas comprendre, en face de la croix, que Dieu nous appelle à être des créateurs, qu'il ne peut, sans nous, transparaître dans notre histoire, que la création de l'univers est une histoire à deux, une histoire d'amour, qui ne peut s'achever que si nous achevons en nous notre propre création, en entrant pleinement dans le mariage d'amour qu'il veut contracter avec nous ?

En dehors de tout cri, si nous songeons, dans le silence de nous-mêmes, que nous portons en nous une Présence, une Valeur infinie, et que c'est justement le fait de la méconnaître volontairement, en nous ou dans les autres, qui constitue le mal absolu, comme notre regard sur la vie en sera transformé !

Tous les maux finiraient par s'éclairer et par se résorber, si nous évitions, si nous surmontions ce mal suprême qui est, en même temps, le refus de nous faire hommes et le refus, au moins implicite, de la Présence unique qui est le seul chemin vers nous-mêmes.

Mille fois par jour nous risquons d'abîmer la vie en nous et dans les autres, de faire écran à la lumière et à la joie et d'empêcher les autres de découvrir l'Amour qui les attend au plus intime d'eux-mêmes.

Mille fois par jour nous risquons «d'éteindre l'Esprit», comme dit saint Paul (1 Th 5, 19), c'est-à-dire d'effacer Dieu.

«Nous ne sommes pas au monde, la vraie vie est absente», écrivait Rimbaud. Ce cri est un appel. Il s'agit de devenir nous-mêmes une présence réelle pour que le monde commence à prendre son vrai visage.

La vie la plus humble, la plus cachée, la plus silencieuse, pourvu qu'elle soit réellement donnée, contribue infailliblement à l'achèvement de l'univers, en révélant l'homme comme un créateur.

Car nous ne sommes pas dans le monde pour le subir, pour être victimes d'un destin qui nous écrase. Nous sommes dans le monde comme ceux entre les mains de qui il a été remis, comme ceux à qui toute la création a été confiée et qui ont à lui donner cette dimension d'amour sans laquelle elle ne signifie rien.

Une telle vocation commence par le respect de la personne en nous et dans les autres, car c'est seulement en découvrant d'abord la dimension infinie de l'homme que nous prendrons conscience du caractère sacré de toute la création et que nous percevrons son inachèvement et les maux qui la défigurent comme une blessure divine.

Rien ne peut davantage stimuler notre générosité que de voir en Dieu la première victime du mal et de nourrir en nous le souci de ne pas le blesser, en blessant l'homme ou toute autre créature dont Dieu est solidaire jusqu'à la mort de la croix.

Jamais notre vie ne prendra une dimension plus grave et plus belle que lorsque nous nous tiendrons devant ce Visage qui est d'abord le Visage de l'agonie, mais qui peut devenir aussi en nous le Visage de la résurrection.

L'Évangile contient un verset extraordinaire dont je ne cesse de m'émerveiller : « Quiconque fait la volonté de Dieu est mon frère et ma sœur et ma mère » (Mc 3, 35).

Ma mère : il y a donc en toute âme humaine une sorte de maternité divine à accomplir, qui correspond à la mystérieuse fragilité de Dieu.

Comme toutes les choses précieuses et infiniment plus qu'elles, Dieu, en effet, est fragile et désarmé. C'est donc Dieu, plus encore que le monde, qui est remis entre nos mains. Il ne s'agit conséquemment plus d'abord de nous sauver, comme si nous étions menacés par une Puissance capable de nous écraser, mais de le sauver de nos limites et de nos ténèbres. Aussi bien pouvons-nous donner à Dieu un autre visage que celui qui transparaît dans ce mot : *est ma mère* et, si nous le reconnaissons sous cet aspect, comment ne pas l'aimer ?

Je me rappelle cette jeune femme qui, dans un milieu traditionnellement chrétien, s'acharnait à faire scandale, en s'opposant de toutes ses forces à un Dieu qui lui paraissait un mythe absurde. Mise sur la voie du Dieu intérieur qui l'attendait au plus intime d'elle-même, du Dieu fragile et désarmé qui lui était confié, ayant bien écouté et bien compris, elle eut ce mot magnifique où elle engageait toute sa vie : « Si Dieu est cela, je dois l'aimer et je l'aime. »

Du fond de toute la misère humaine monte cet appel d'un Dieu blessé, dont l'échec révèle l'indispensable concours de notre liberté pour réaliser un monde dont l'amour est le sens. Nous nous appliquerons avec d'autant plus d'ardeur à extirper le paupérisme, la famine, les taudis, la prostitution, la guerre et toutes les formes de violation de l'homme que nous serons plus sensibles, à travers tous ces maux, aux blessures de Dieu.

Le mystère de Noël nous suggère, précisément, l'immense fragilité de Dieu et l'urgence de l'accueillir en nous et dans les autres. La pauvreté de l'Enfant de Bethléem – comme aimait à dire saint François qui a voué sa vie à cette divine Pauvreté – ouvre une perspective infiniment émouvante sur le mystère du mal qu'Il devra assumer jusqu'à la mort de la croix, pour nous révéler le bien comme Quelqu'un à aimer et le mal comme une blessure dont ce Quelqu'un peut mourir.

C'est sans doute ce que pressentit Claudel, le jour de Noël 1886, lorsque, entré en dilettante à Notre-Dame de Paris pour tromper son ennui, il découvrit soudain, à travers les antiennes des secondes vêpres, «l'éternelle enfance et l'innocence déchirante de Dieu».

Est-ce que toute la Bible, finalement, toute la Révélation, ne se résume pas dans le cri de l'innocence de Dieu? Et ce cri de l'innocence de Dieu ne nous atteint-il pas au cœur en nous rappelant qui nous sommes, quelles sont notre dignité et notre grandeur dans cette vocation de créateur qui remet le monde entre nos mains pour que nous lui donnions son vrai visage: en donnant, bien sûr, d'abord à l'homme en nous son vrai visage, en respectant d'abord en nous l'inviolabilité devant laquelle nous avons à nous incliner en autrui, pour que Dieu puisse se respirer à travers nous et que notre présence suffise à témoigner, en réponse au scandale du mal, de «l'éternelle enfance et de l'innocence déchirante» qui, dans un éclair, se révélèrent à Claudel comme le vrai visage du Seigneur?

3

Morale d'obligation
et morale de libération

L'EUROPE s'est sabordée dans la Première Guerre mondiale. Elle a prouvé, par ses antagonismes internes, la faiblesse de sa civilisation et la fragilité de son christianisme. Elle a perdu ses titres à toute hégémonie culturelle par le discrédit que les nations engagées dans le conflit jetaient les unes sur les autres.

Elle a ouvert la voie au communisme soviétique, qui, après la fondation d'un grand empire, devait, à Yalta (1945), la couper en deux. Elle a, plus profondément encore, compromis les valeurs morales qu'elle prétendait inséparables du progrès dont elle se targuait. Tuer l'homme désigné comme l'ennemi est, en effet, une obligation pour le soldat et passe, éventuellement, pour un fait glorieux. Piller, violer, détruire, incendier sont des fautes vénielles sur lesquelles il convient de fermer les yeux pour obtenir la victoire, qui doit seule compter. Sur le plan privé, la fidélité conjugale d'époux longtemps séparés durant ces quatre années fatales a été souvent ébranlée, comme elle le sera plus encore entre 1939 et 1945. En bref, dès la Première Guerre mondiale, tout l'ordre humanitaire qui semblait faire corps avec la civilisation européenne a été remis en question.

Il est vrai que cela n'est pas apparu immédiatement dans l'élan de reconstruction de l'après-guerre et dans le renouveau spirituel incontestable qu'une élite a éprouvé et propagé à partir de la dure expérience des tranchées.

L'Homme né de la guerre d'Henri Ghéon, qui est le récit de sa conversion à travers les combats, est, à cet égard, un témoignage qui garde sa valeur. Il n'en reste pas moins que les germes étaient semés d'une dissolution morale, dont Jean Guéhenno, dans *La Mort des autres,* éclaire avec dégoût les soubassements.

La Deuxième Guerre mondiale, vingt et un ans plus tard, résulte de la première. L'Allemagne ne digérait pas sa défaite. Les Alliés, difficilement vainqueurs, ne parvenaient pas à s'entendre pour prévenir sa revanche.

En 1933 le nazisme s'installait au pouvoir et Hitler, devenu le maître, rêvait d'une suprématie qui soumettrait, pour mille ans, le monde à l'Allemagne. Il crut réussir, puisque la guerre de 1939-1945 devait amener ses armées jusqu'en Égypte et jusqu'à Moscou.

On sait que cette guerre, beaucoup plus que la première, atteignit les civils : par les bombardements aériens, par les génocides et les déportations, par le régime très étendu de l'Occupation, enfin, qui suscita la résistance des maquis et qui força chacun à se débrouiller comme il le pouvait : en usant de toutes les ruses pour tromper la vigilance de l'ennemi.

Le mensonge à son égard devenait une prouesse digne d'éloge, comme, éventuellement, l'assassinat. Il était plus difficile que jamais, dans ces conditions, de tracer une frontière précise entre le bien et le mal.

Avant d'envisager toutes les conséquences morales de cette Deuxième Guerre mondiale, il faut cependant revenir à l'entre-deux-guerres, c'est-à-dire à la période 1918-1939.

La vulgarisation du *freudisme* remonte à cette époque. C'est là un événement capital. L'exploration méthodique de l'inconscient, la révélation de son influence insoupçonnée sur le conscient, l'analyse des troubles infantiles et de leurs séquelles dans l'âge adulte, la dénonciation des déformations et des désordres psychiques que peut entraîner le *refoulement,* mettaient en question la personnalité humaine et semblaient entraîner sa dissolution. La morale traditionnelle devenait suspecte du fait qu'elle impose des contraintes – dans l'ordre sexuel principalement – capables de susciter des refoulements.

Sur la lancée freudienne, André Breton fondait, en 1924, le *surréalisme*, qui cherchait, précisément, dans les dictées de l'inconscient le renouvellement de l'art et de toutes les valeurs humaines. Toute une école artistique se constitua sur cette base et, en dehors d'elle, l'art en général, pictural et sculptural surtout, s'inspira, souvent – sans toujours s'en rendre compte –, des découvertes freudiennes pour donner une nouvelle vision du monde.

Le communisme, d'ailleurs défavorable à la psychanalyse, se faisait, dans le même temps, l'apôtre très officiel d'un athéisme militant, qui marquait fortement ses adhérents où qu'ils fussent.

En 1938-1939, Sartre, qui ne doit rien originairement à la psychanalyse, commence sa carrière avec *La Nausée* et *Le Mur*. En 1941, il expose avec une puissante subtilité la dialectique de l'en-soi et du pour-soi dans *L'Être et le Néant*, dont le dernier mot est que l'homme est «une passion inutile». Mais ce n'est qu'après la Deuxième Guerre mondiale qu'il devient le maître à penser d'innombrables lecteurs ou auditeurs auxquels il propose, en payant d'exemple, un humanisme engagé – sévèrement critique à l'égard de soi et sans illusion – qui ne craint pas de se compromettre et de se salir les mains pour changer réellement le monde, en surmontant «cette essentielle déchirure qui nous oppose à nous-mêmes» «avec des moyens d'hommes et selon des motivations simplement humaines[1]» qui excluent tout recours à une transcendance, toute référence à un absolu.

Le structuralisme, enfin, commence à faire parler de lui à partir de 1964, environ, avec les ouvrages de Lévi-Strauss. Jean Piaget, qui en a étudié magistralement toutes les ramifications mathématiques et logiques, physiques et biologiques, psychologiques, linguistiques et sociologiques, souligne opportunément qu'il représente une méthode et non une philosophie.

---

1. Les mots entre guillemets sont de Francis Jeanson.

C'est pourtant sous cet aspect abusivement philosophique qu'il a abouti parfois à cette négation de l'homme, évoquée dans notre premier entretien, qui touche le grand public plus que ses savantes investigations.

La vulgarisation des schèmes structuralistes aujourd'hui – dans le même temps où Herbert Marcuse accède à une célébrité universelle – coïncide, comme on le sait, avec celle des vues révolutionnaires des *théologiens* de la mort de Dieu, qui semblent remettre en question les fondements mêmes du christianisme

Sur le fond des deux guerres mondiales, les doctrines et les mouvements que je viens d'évoquer forment le contexte dans lequel nous vivons[1]. Contexte d'autant plus troublant que l'immense majorité du public n'est informée que de seconde main, sans avoir la possibilité d'un examen critique. Elle conclura donc, le plus souvent, que tout peut être remis en question, qu'en somme rien n'est sûr, sauf la science physico-mathématique qui a inventé, il est vrai, la bombe atomique avant d'envoyer les astronautes dans l'espace et qui ne peut d'ailleurs rien nous dire sur le sens de la vie, pas plus qu'elle ne peut fonder une morale en prescrivant une fin humaine aux moyens qu'elle nous donne.

Les chrétiens médiocres que nous sommes sont inévitablement impressionnés par cette situation.

Où trouver désormais un *absolu moral* jouant le rôle de *l'impératif catégorique* qui était pour Kant une évidence première et incontestable.

La Bible nous offre le Décalogue. Relisons-le.

1. Alors Dieu prononça toutes ces paroles.

2. C'est moi Yahvé, ton Dieu, qui t'ai fait sortir du pays d'Égypte, de la maison de servitude.

3. Tu n'auras pas d'autre Dieu que moi.

---

1. À quoi s'ajoutent le phénomène hippie et l'immense vague de contestation qui soulève une bonne partie de la jeunesse.

4. Tu ne feras aucune image sculptée, rien qui ressemble à ce qui est dans les cieux, là-haut, ou sur la terre, ici-bas, ou dans les eaux, au-dessous de la terre.

5. Tu ne te prosterneras pas devant ces images ni ne les serviras, car c'est moi Yahvé ton Dieu, je suis un Dieu jaloux, qui punit les fautes des pères sur les enfants, les petits-enfants et les arrière-petits-enfants, pour ceux qui me haïssent,

6. mais qui fait grâce à des milliers, pour ceux qui m'aiment et gardent mes commandements.

7. Tu ne prononceras pas le nom de Yahvé ton Dieu à faux, car Yahvé ne laisse pas impuni celui qui prononce son nom à faux.

8. Souviens-toi du jour du sabbat pour le sanctifier.

9. Pendant six jours tu travailleras et tu feras tout ton ouvrage,

10. mais le septième jour est un sabbat pour Yahvé ton Dieu. Tu ne feras aucun ouvrage, toi, ni ton fils, ni ta fille, ni ton serviteur, ni ta servante, ni tes bêtes, ni l'étranger qui réside chez toi.

11. Car en six jours Yahvé a fait le ciel, la terre, la mer et tout ce qu'ils contiennent, mais il a chômé le septième jour. C'est pourquoi Yahvé a béni le jour du sabbat et l'a consacré.

12. Honore ton père et ta mère, afin d'avoir longue vie sur la terre que Yahvé ton Dieu te donne.

13. Tu ne tueras pas.

14. Tu ne commettras pas d'adultère.

15. Tu ne voleras pas.

16. Tu ne porteras pas de témoignage mensonger contre ton prochain.

17. Tu ne convoiteras pas la maison de ton prochain. Tu ne convoiteras pas la femme de ton prochain, ni son serviteur, ni sa servante, ni son bœuf, ni son âne : rien de ce qui est à lui (Ex 20, 1-17).

Sous cette forme, où la Bible de Jérusalem, dans laquelle nous lisons ce texte, admet l'intervention possible de rédacteurs qui auraient amplifié le texte primitif, ce Décalogue nous concerne-t-il ? N'appartient-il pas à un ensemble législatif destiné à un peuple dont Dieu doit être le seul souverain et auquel il impose, normalement, des lois sanctionnées par des récompenses et des châtiments ? Le Dieu qui se révèle en Jésus-Christ a-t-il le même visage que le Dieu du Sinaï ? Le mot de saint Augustin : « Aime et fais ce que tu voudras », n'exprime-t-il pas mieux que ces impératifs tranchants l'esprit de l'Évangile, en faisant d'ailleurs écho au prodigieux chapitre 13 de la première épître aux Corinthiens ? Il est vrai que ce magnifique raccourci : « Aime et fais ce que tu voudras », peut sembler vague. Qu'est-ce qu'aimer, en effet, et à quoi cela oblige-t-il ? Beaucoup, sans doute, tenteront de sortir de l'indétermination en concluant qu'il suffit de ne pas nuire aux autres, moyennant quoi on est libre de faire ce qu'on veut. Mais cette formule ne signifie pas grand-chose, à moins de définir ce qui peut nuire au prochain et de se demander si se nuire à soi-même n'est pas préjudiciable à un ordre qui concerne inévitablement autrui.

L'incertitude morale s'accroît, encore, du fait que la croyance en Dieu est trop faible, chez la plupart des chrétiens, pour soutenir un engagement qui leur coûte, à moins que la présence de la mort ne leur devienne assez sensible pour qu'ils soient en quelque sorte forcés de se dépasser. Il faut noter cependant – sur un plan plus élevé – comme source de l'affaiblissement d'une morale fondée sur des commandements la difficulté et la répugnance à reconnaître comme sien un acte qui serait posé uniquement par conformité à un ordre imposé, fût-il d'origine divine. Un acte n'est-il pas authentiquement nôtre seulement quand il est le fruit mûr de notre liberté entièrement consentante ?

Toutes ces considérations sur le contexte historique dans lequel nous vivons, sur nos réactions de chrétiens médiocres ou désorientés, sur notre légitime souci d'autonomie, enfin, nous font prendre conscience de l'inefficacité fréquente d'une morale présentée comme une obligation, qui s'imposerait à nous en vertu d'une autorité suprême, que nous ne pourrions récuser sans encourir quelqu'une des malédictions énumérées dans le vingt-sixième chapitre du Lévitique (versets 14 à 43), qui est une des pages les plus terrifiantes de la Bible.

Avant de chercher s'il existe une autre voie qu'une obligation imposée pour fonder un ordre moral, souvenons-nous – pour ne pas déprécier injustement la Bible, faute de la bien comprendre – de l'éloge lyrique que le Psaume 119 fait de la Torah, de la loi divine codifiée dans l'Exode, le Lévitique et le Deutéronome.

Cette loi apparaît au Psalmiste comme le suprême bienfait et sa méditation comme infiniment savoureuse. Cela veut dire que le peuple de la Bible pouvait la considérer avec d'autres yeux que les nôtres : parce que Dieu était son Roi et qu'il admettait son intervention directe dans toutes les circonstances de la vie, parce que tout se jouait pour lui, jusqu'au deuxième siècle avant Jésus-Christ, dans l'existence d'ici-bas et que des sanctions terrestres constituaient à ses yeux le couronnement nécessaire de l'ordre moral, parce que sans doute, enfin, il percevait un accord entre les prescriptions de la Torah et les impératifs de la conscience, dont chacun, à sa manière, éprouve la dictée, quand le temps est venu d'agir et non de spéculer.

Cette mention d'un impératif de la conscience nous invite à nous demander s'il existe une morale *naturelle* dont les exigences sont inscrites dans une connaissance pratique, spontanée, qui nous prescrit de nous y conformer.

Lévi-Strauss souligne, dans la morale que l'on peut appeler «sauvage» en référence à «la pensée sauvage» – qui se montre, par ailleurs, assez accommodante –, l'interdiction de l'inceste comme une règle absolue. On peut penser que c'est là le vestige d'un ordre moral très primitif, dont l'obligation a été ressentie comme la condition indispensable de la survivance pacifique du groupe. Il est d'ailleurs probable que la morale des premiers hommes qui méritèrent ce nom atteignait généralement les individus par le biais de la collectivité à laquelle ils appartenaient, comme notre morale le fait encore très largement aujourd'hui. Il y a peut-être d'autant plus de chances qu'elle dérive d'une impulsion *naturelle* que les individus étaient moins engagés dans son élaboration.

Ce qui nous intéresse davantage, cependant, c'est de découvrir la naissance d'une morale personnelle, dont l'exigence jaillit consciemment de principes explicitement reconnus comme le fondement d'une règle de vie.

On n'a ici que l'embarras du choix. Toute philosophie, en effet, tend vers une sagesse qui est atteinte, écrit Émile Bréhier citant Descartes, «lorsque l'intelligence montre d'abord à la volonté le parti qu'elle doit prendre».

Mais les plus grands philosophes, s'ils s'efforcent tous de construire une morale dans les limites d'une connaissance naturelle – et donc sans prendre appui sur une révélation divine –, sont loin d'aboutir à un même résultat. La vision théorique du monde qui est propre à chacun se reflète dans son éthique. La conception du bien n'a pas les mêmes racines chez Platon et chez Aristote, chez Zénon et chez Épicure, chez Spinoza et chez Kant, chez Hegel et chez Auguste Comte. «L'évidence» qui a déterminé la position de chacun de ces penseurs suppose un usage différent des mêmes pouvoirs de connaître et une perception autre de cette nature humaine dont ils entendaient promouvoir le plus parfait accomplissement.

Ce terme de «nature» en tout cas demeure ambigu. Expliquant la *conatus* de Spinoza – «l'effort par lequel toute chose s'efforce de persévérer dans son être», qui devient chez l'homme l'affirmation et la position de soi –, Paul Tillich écrit que, pour ce philosophe, «la vertu s'identifie avec la nature *essentielle*», «qu'elle est la puissance d'agir exclusivement selon notre *vraie nature*».

On doit apporter des précisions analogues à propos de la raison considérée comme règle d'agir. Agir conformément à la raison implique, comme Aristote le savait déjà, une raison qui n'a pas été corrompue par une volonté vicieuse. Cette espèce de cercle raison-volonté – volonté-raison nous renvoie à la question : qu'est-ce que notre vraie nature, qu'est-ce que notre être essentiel et quand pouvons-nous prendre pour guide notre raison avec la certitude qu'elle n'est pas corrompue ? Sans doute nous pouvons être avertis par notre conscience des tentatives de falsification, de tricherie avec nous-mêmes, qui pervertiraient notre optique et vicieraient notre jugement moral. Mais nous sommes très largement tributaires d'une morale ou d'une amoralité collective qui influence profondément nos décisions et qui peut fausser notre raison et notre conscience, à notre insu, sinon malgré nous.

Il faut donc reprendre le problème à sa racine. Quelle est notre vraie nature, quel est notre être essentiel, dont on dit que nous pourrions tirer une règle de conduite authentique ?

Heidegger affirme, avec une remarquable profondeur, que l'être de l'homme est dans son *pouvoir être*. Sartre et Bultmann se sont inspirés de cette affirmation en des directions, on le sait, bien différentes. Elle n'est peut-être pas difficile à saisir. Elle revient à dire, en somme, que l'homme, donné à lui-même par sa naissance charnelle, reste ouvert, incomplet, inachevé. Tandis que les autres êtres, animaux, végétaux, minéraux, sont insistants en eux-mêmes (in-sistunt), c'est-à-dire opaques à eux-mêmes et enfermés en eux-mêmes : l'homme est un ek-sistant, appelé à sortir de soi, à choisir à chaque instant entre ses possibilités d'être, c'est-à-dire, en bref, selon le mot de Sartre, à *se choisir*.

Cette formule est séduisante. Elle implique que notre vie peut jaillir, à chaque instant, dans une entière nouveauté, sans être liée par rien : ni par son passé ni par aucun engagement en lequel elle se trouverait prise. Elle suppose, autrement dit, une liberté absolue, une liberté créatrice de soi. Mais qui choisit ? N'y a-t-il pas un sujet permanent qui choisit ou bien ce sujet disparaît-il, pour renaître totalement dans chacun de ses choix : dans une parfaite discontinuité et sans demeurer jamais lui-même ? Cette position est difficile à concevoir. Si nous ajoutons que, pour Sartre, au moins, ce choix de soi-même ne s'appuie *sur aucune exigence d'essence ou de nature,* que le *motif* de nos choix n'est un motif que par notre décision totalement arbitraire et totalement responsable d'en faire un motif, il en résulte que notre liberté n'a pas de sens, qu'elle peut s'exercer indifféremment dans toutes les directions. Au fond je suis libre pour rien.

Il semble que Sartre, comme beaucoup d'auteurs et comme l'immense majorité des hommes, n'ait pas vu que la liberté humaine implique une *libération* : non seulement d'un destin ou d'un ordre imposé du dehors, mais, d'abord et essentiellement, d'un destin et d'une servitude qui s'imposent à nous du dedans.

À ce point de vue, la psychologie des profondeurs, en dévoilant le dynamisme, la puissance océanique de l'inconscient, nous ramène à notre vraie réalité et nous force à prendre conscience du caractère ambigu de ce « je-moi » qui est, d'abord, le centre de gravité de toutes nos dépendances et de toutes nos complicités à l'égard de l'être préfabriqué que nous *subissons,* en nous identifiant, par un entraînement naturel, avec lui.

Notre être est bien dans son *pouvoir-être* mais ce pouvoir-être signifie que l'être *nous manque* et que nous n'existerons authentiquement que par un supplément d'être qui remplira *ce vide* immense de notre inachèvement.

Toutes les tortures de l'homme, toutes ses angoisses toutes ses névroses et peut-être tous ses crimes proviennent de cette béance, de cette ouverture, de cette incomplétude qui, d'une part, l'empêche de se confier entièrement à ses instincts et requiert de lui, d'autre part, une initiative créatrice dont il ne perçoit que très vaguement l'origine et la fin, la source et le sens.

Les perversions les plus raffinées ne sont vraisemblablement que l'envers de cette exigence de *se faire* : dans le piétinement sauvage des valeurs que l'on échoue à réaliser.

Comment sortir de cette impasse, comment nous rejoindre à travers *cet au-delà de nous-mêmes* qui nous empêche de coïncider avec notre être préfabriqué et qui nous apparaît, d'abord, comme un vide, et, dans l'angoisse, comme un gouffre ?

Nous avons déjà dit que le premier pas à faire est de prendre conscience que ce « je-moi » primitif, passionnel et complice, qui domine habituellement tout le champ de notre vie psychique, est lui-même préfabriqué, qu'il tend à nous ramener à un univers instinctif et animal, qu'il nous voile notre pouvoir-être et qu'il nous détourne de l'accomplir. D'où il suit qu'il s'agit, d'abord, de nous libérer de ce « je-moi » où se concentrent toutes nos servitudes.

Mais, nous l'avons constaté, la seule possibilité d'un tel affranchissement est de nous donner, par le fond de nous-mêmes et jusqu'à la racine de notre être, à un Amour capable de nous accueillir et de nous combler. C'est par là que nous devenons des ek-sistants, que nous sortons de nous-mêmes pour parvenir à nous-mêmes : à travers une Présence plus intime à nous-mêmes que le plus intime de nous-mêmes.

Les heures étoilées, comme dit Zweig, celles où, dans l'émerveillement, l'amour ou la compassion, nous sommes soudain « guéris » de nous-mêmes en nous perdant de vue pour n'être plus qu'un regard vers cet Autre – qui transparaît dans un spectacle de la nature, dans une découverte scientifique, dans une musique, dans un visage –, ces heures de grâce nous ouvrent un chemin. Dans leur lumière, notre quête d'un supplément d'être a un sens, ce vide que nous sommes peut être comblé, notre liberté a une puissance créatrice, mais qui ne s'actualise vraiment que dans notre *libération*. Nous sommes bien, d'une certaine manière, les créateurs de nous-mêmes, mais dans une offrande d'amour qui nous désapproprie de nous-mêmes en l'Amour infini qui nous reçoit.

La morale dans cette perspective est une ontologie, une condition ou plutôt une création d'être. Nous y soustraire, c'est donc renoncer à être, en acceptant de subir – à travers notre inconscient – les énergies opaques qui régissent l'univers qui n'est pas humain. *To be or not to be, that is the question.* Il s'agit uniquement d'être ou de ne pas être.

C'est pourquoi on peut ramener toute la morale à ce petit mot : *Sois,* en chargeant tout acte vraiment libre, dans n'importe quel secteur et dans n'importe quelle circonstance, du pouvoir immense de nous faire être. Tillich a bien vu qu'il y va toujours pour nous, dans notre pouvoir de décision, de notre être en sa *totalité.* C'est pourquoi toute *vertu* n'est telle que dans la mesure où elle s'enracine dans le moi-offrande et où elle concourt à l'approfondissement du don qu'il est. En bref, tout acte vraiment libre nous engage toujours *tout entiers* et constitue un acte *originel* comme, inversement, toute faute pleinement consentie est une *faute originelle,* c'est-à-dire un refus d'être origine.

Cette origine que nous sommes appelés à devenir est aussi, tel un cercle de lumière, une fin – comme Kant l'a si profondément senti, lorsqu'il écrivait : « Agis de telle sorte que tu traites toujours l'humanité en toi et en autrui comme une fin et jamais comme un moyen ». L'homme est une fin, un bien ultime, en effet, dans la mesure où il accepte de s'effacer dans une Valeur infinie qui fait précisément de lui, à travers ce consentement sans cesse renouvelé, une source et une origine.

Nous sommes bien loin, ici, on le voit, d'une loi qui s'impose à nous du dehors comme une contrainte qui empiéterait sur notre autonomie. Il n'est jamais question, dans cette morale – qui est encore une fois une ontologie créatrice –, que de notre libération en l'éclosion, en nous, d'un centre *spirituel,* selon l'expression de Tillich, où notre être trouve son unité dans une respiration divine.

Cela dit, il est à peine besoin de souligner le caractère *théocentrique* de cette marche vers notre vrai nous-mêmes, où les autres sont compris *en tant qu'ils sont une fin égale en dignité à celle que nous avons à devenir.*

Dieu est le Centre de tous les centres où les personnes humaines ont leur foyer. Mais c'est un Dieu qui est immédiatement reconnu comme *Liberté,* puisqu'il ne se rencontre que dans notre libération. S'il a pris souvent, dans la Bible, un visage de maître absolu et de législateur souverain, c'est en raison de la perspective extériorisante à travers laquelle les hommes le regardaient : comme le Dieu d'un peuple plutôt que comme le Dieu des personnes, atteintes indirectement, le plus fréquemment à travers la collectivité.

Ces limites imposées à Dieu, qui tiennent uniquement à l'homme, n'empêchent pas de reconnaître la haute valeur morale du Décalogue. Une morale de libération en assume le contenu essentiel, mais elle est beaucoup *plus exigeante,* puisqu'elle suppose que *chaque acte libre* engage *la totalité de l'être,* pour faire de toute la vie une perpétuelle création de soi. Cette exigence totalitaire correspond, d'ailleurs, à ce que nous révèle la psychologie des profondeurs. Si, en effet, l'inconscient peut nous dominer autant que Freud le démontre, la seule manière de ne pas le subir est de l'éclairer et de l'ordonner par le fond, en purifiant les racines de notre être.

Nos passions – j'entends tout ce dynamisme instinctif qui bouillonne sous le seuil de la conscience comme un immense réservoir d'énergie – seront mises, par cette harmonisation foncière, au service de notre libération. Le plus souvent, elles nous égarent parce que nous engageons en elles, à l'envers, toute notre capacité d'infini, comme si elles pouvaient réellement nous donner l'Infini dans une tumultueuse vibration, qui aboutit toujours, finalement, à la domination sur nous des instincts non rectifiés. Nous pouvons faire heureusement de nos passions un meilleur usage en les intériorisant, en les personnalisant, jusqu'à cet apaisement diaphane où leur bruit se transforme en musique. Alors elles deviennent le clavier des vertus. C'est ce que Coventry Patmore a voulu exprimer lorsqu'il écrivait : « Les vertus ne sont que des passions ordonnées, comme les vices ne sont que des passions en désordre. »

Nous sommes, assurément, bien loin de considérer habituellement notre vie dans cette lumière : comme une marche constante vers notre libération. Nous sommes assoupis, le plus souvent, dans une sorte de léthargie mentale, où nous manions mécaniquement des idées-clichés, sans vraiment penser, sans nous mettre en question, sans soupçonner qu'une vraie connaissance est une naissance. Et nous vidons de leur sens tous les concepts de liberté, de dignité, de responsabilité, d'immortalité et de personnalité.

La liberté, en effet, suppose un effort permanent de libération de nous-mêmes, la dignité suppose que nous travaillons incessamment à devenir le sanctuaire inviolable d'une Présence infinie ; la responsabilité suppose que nous prenons toujours au sérieux notre mission de créateurs ; l'immortalité suppose que nous nous rendons capables de nous porter nous-mêmes au lieu de nous laisser porter par l'univers ; la personnalité, enfin, suppose que nous faisons de nous-mêmes un bien universel capable d'enrichir tous les hommes, en libérant toute la création qui gémit, comme dit saint Paul, dans les douleurs de l'enfantement. Nous manions tous ces grands mots sans les vivre, et la misère humaine, qui ne peut se payer de mots, ne cesse de s'accroître.

Il est temps, selon le mot du même Apôtre, de surgir de notre sommeil et d'affronter une tâche à la taille de notre humanité, en réalisant notre pouvoir-être dans cette création nôtre qui est la libération de nous-mêmes.

Sans doute, cette libération de nous-mêmes est ce qu'il y a de plus difficile. Elle correspond à la grandeur de notre vie, qui a la croix pour mesure. Elle ne peut se réaliser d'un coup. Elle ne doit pas, envisagée comme un programme – qui est assurément le plus digne de nous –, nous induire ni à mépriser la morale d'obligation – qui restera toujours, vraisemblablement, pour la collectivité, prise comme telle, une pédagogie et un garde-fou nécessaires – ni à nous croire affranchis de ses commandements sans les avoir dépassés par une fidélité plus rigoureuse aux exigences de l'amour.

Ce qui nous aidera le mieux à garder cette fidélité, qui conditionne notre libération, c'est la certitude, fondée sur l'expérience la plus quotidienne, que la présence de Dieu ne peut s'actualiser, *dans notre histoire,* que par notre médiation. Il apparaît, en effet, autant que nous Le laissons transparaître. Il est inutile de Le démontrer : il s'agit de Le montrer. Sa vie est entre nos mains. *Qu'est-ce qui arrivera à Dieu,* dans notre monde humain, du fait de nos options, de nos décisions, de notre attitude ? Voilà, en somme, la question essentielle.

Une petite fille, qui s'entretenait, le jour de sa première communion, avec ses petits camarades, de ce grand événement auquel tous avaient participé, trancha, sans le vouloir, leurs bavardages insipides par ce mot *qui porte la vie* : « Eh bien, moi, Il m'efface. »

Elle avait découvert qui Il est dans la libération d'elle-même.

À ce point où nous sommes parvenus, l'impératif : *Sois* s'efface, lui aussi, dans l'impératif : *Aime,* qui est la clé de voûte d'une morale de libération et que nous pouvons employer maintenant sans équivoque, sachant Qui il vise.

C'est peut-être ce qu'avait pressenti cet athée forcené qui s'est disloqué mentalement à force de vouloir se dépasser dans une solitude vide de toute présence, en enchâssant, dans son *Zarathoustra* – à propos de l'amour de l'homme et de la femme –, cette phrase bouleversante : « Que votre amour soit de la pitié pour des dieux souffrants et voilés. »

Cette parole nous rend fraternel le tragique destin de Nietzsche, ces dix ans de folie où son génie fut englouti. Nous pouvons la sertir dans notre mémoire comme l'appel qui nous rendra conscients que notre libération concerne, beaucoup plus que nous-mêmes, cet Hôte mystérieux de notre âme qui est si souvent, en nous, un Dieu souffrant et voilé.

4

Le vrai visage du Christ

Il EST presque impossible de parler de quelqu'un que l'on aime sans l'abîmer. Les mots sont toujours trop courts pour exprimer les richesses d'une intimité. C'est pourquoi ce n'est pas sans un profond tremblement que j'aborde ici le mystère de Jésus. Mais il est impossible de ne pas tenter de le situer, puisque le christianisme, plus qu'une doctrine, est une Personne : la Personne même de Jésus.

On peut lire le Coran et le considérer comme une révélation divine indépendamment de la personne de Mouhammad, en ce sens que le Prophète n'est aucunement l'objet mais uniquement l'instrument de la révélation.

Il n'en va pas de même pour le christianisme : la Personne de Jésus est, à la fois, le centre et la source de la vie du chrétien.

Toute la vie du chrétien s'accomplit « dans le Christ Jésus ». Cette expression revient si souvent dans les épîtres de saint Paul qu'il est impossible d'en méconnaître la portée. Au centre comme à la source de la vie chrétienne, c'est bien la Personne de Jésus que nous rencontrons.

D'où l'impossibilité d'éluder la question : qui est Jésus ?

Des documents contenus dans le Nouveau Testament et de leur rayonnement dans la vie ecclésiale – notamment dans les définitions des quatre premiers conciles œcuméniques – ressort cette affirmation : Jésus est *le* Fils dans un sens unique, ce qui revient à dire que Dieu est son Père dans un sens unique. En d'autres termes : tout en étant homme, Jésus appartient en quelque manière à la sphère divine.

Cette affirmation, que les textes dont nous disposons font remonter à Jésus, modifie profondément la notion de Dieu reçue jusqu'à lui dans son peuple, pour qui l'unicité de Dieu implique, comme dans le Coran, un monothéisme solitaire, axé sur l'affirmation qu'Il est aussi seul qu'Il est unique.

Le témoignage de Jésus (ou sur Jésus, de la part de ses disciples), nous introduit, au contraire, dans un monothéisme pluraliste qui prend explicitement, en Matthieu 28, 19, la forme trinitaire : « Allez, faites disciples toutes les nations, les baptisant au nom du Père et du Fils et du Saint-Esprit. »

Selon cette formule, Dieu est unique, mais il n'est pas solitaire.

Ce changement, introduit dans la notion de Dieu, est capital. Beaucoup de « Vies » de Jésus n'y ont prêté aucune attention, en laissant dans le vague la conception de Dieu, comme s'il était indifférent, pour situer Jésus par rapport à lui, de voir en lui la cause première ou finale des philosophes, ou le Yahvé solitaire de l'Ancien Testament, sans tenir aucun compte de la perspective entièrement nouvelle ouverte par la révélation trinitaire, en référence à laquelle se présente, dans nos textes, le témoignage de Jésus ou sur Jésus. C'était se priver, pour comprendre le rapport de Jésus à Dieu, de la compréhension qu'il avait lui-même de Dieu, en suscitant, par là même, d'insolubles difficultés.

Le passage du monothéisme solitaire au monothéisme trinitaire doit donc servir de principe directeur en tout effort d'appréhender, *du dedans*, la personne de Jésus.

Ce passage nous intéresse d'ailleurs essentiellement. Un être unique et solitaire, qui ne ferait face éternellement qu'à lui-même, nous apparaîtrait enfermé dans un narcissisme à peine concevable. La révélation trinitaire nous délivre de ce cauchemar. Elle signifie, en effet, qu'en Dieu « Je est un autre », que Dieu n'a prise sur soi qu'en se communiquant, qu'en lui le rapport de soi à soi est pure relation à un autre. Rien ne nous fait prendre conscience plus vivement qu'en nous le rapport de soi à soi est le plus souvent narcissique, comme une complicité qui nous rive à notre nature, à ce vieux fonds cosmique que nous tenons de notre naissance charnelle.

De temps en temps, il est vrai, nous en émergeons dans le dialogue d'amour avec «l'Autre» qui constitue notre personnalité, mais c'est pour retomber bientôt dans ce donné primitif où nous subissons simplement le poids de l'univers.

En Dieu, au contraire, le «moi» est pur altruisme, la personnalité jaillit *éternellement* comme un pur regard vers l'autre ou comme un pur rapport à l'autre : le Père, en effet, n'est qu'un regard vers le Fils, le Fils n'est qu'un regard vers le Père et l'Esprit Saint n'est qu'une respiration d'amour vers le Père et le Fils.

C'est-à-dire qu'en Dieu la personnalité se révèle comme une puissance infinie d'évacuation et de libération de soi. Ce qui signifie que Dieu est entièrement et totalement personnel, que sa nature passe tout entière dans les relations intradivines, sans aucun résidu, sans aucune possibilité de retombée dans un fonds possessif capable de susciter la moindre complaisance en soi. Tout son être est don, tout son être est Amour, tout son être est dépouillement.

C'est précisément sous cet aspect d'infini dépouillement que sa transcendance nous devient le plus sensible.

C'est sans doute ce que pressentait saint François sous le mythe de «Dame Pauvreté» : Dieu est pauvre, Dieu est radicalement désapproprié de soi, Dieu n'a rien et ne peut rien posséder, Dieu est l'Antipossession et l'AntiNarcisse, comme il est la Virginité en sa source dans cette distance infinie de soi à soi qui fonde la transparence de l'Amour.

Cette ouverture sur la Trinité qui constitue l'essence du témoignage de Jésus et sur Jésus nous délivre de Dieu, j'entends de Dieu conçu comme un joug despotique, comme une limite, comme une menace. Si Dieu est pure désappropriation, nous sommes assurés que notre être est donné à lui-même, que Dieu ne dispose pas de nous sans nous, qu'il nous établit en face de lui dans une situation de créateurs, qui rend notre collaboration indispensable à l'accomplissement d'un univers dont l'Amour est la source et la fin.

C'est par là qu'est dépassable la très forte objection de Marx : « Un être quelconque n'est indépendant à ses propres yeux que s'il se suffit à lui-même, et il ne se suffit à lui-même que s'il ne doit son existence qu'à lui-même », prémisse dont il veut conclure que ma vie est « ma création personnelle » seulement dans la mesure où je ne dépends d'aucun créateur. En bref : pour que je sois, il faut que Dieu ne soit pas.

Mais quelle existence puis-je tenir de moi-même ? Ce n'est pas celle que je subis du fait de ma naissance charnelle, mais celle qui surgit d'un amour qui me délivre de cette servitude primitive, en évacuant toutes les complicités qui m'y assujettissent. Et, précisément, le Dieu que Jésus nous révèle ne peut nous toucher que par la liberté qu'il est, en suscitant la liberté que nous avons à devenir : dans une existence d'amour qui coïncide avec le don de nous-mêmes. Il nous rend, tout ensemble, en une inviolable intériorité, indépendants de lui et de nous, libres de lui et libres de nous dans la mesure où se noue cette relation d'amour qui est notre seul lien authentique avec lui et avec nous.

Le témoignage de Jésus axé sur la Trinité : nous venons de voir à quel point il nous concerne. Rien ne nous éclaire et ne nous émeut davantage que cette vision d'un Dieu dépouillé, d'un Dieu qui ne possède rien, d'un Dieu qui ne peut entretenir avec nous que des rapports d'amour : comme nous d'ailleurs avec lui.

La méditation ecclésiale de ce mystère inépuisable s'est attachée de très bonne heure avec prédilection à la notion de *relation* pour cerner, autant qu'il est possible, ce pluralisme intérieur à l'unicité de Dieu, qui le révèle comme charité, sainteté et liberté infinies.

Comme notre vie est impliquée dans un réseau de relations, nous gagnerons à en prendre conscience, en partant de la relation la plus simple et la plus quotidienne qui est celle de l'ordre dans un ménage soigneusement tenu. Que faites-vous lorsque vous voulez rendre une chambre agréablement habitable ?

Vous établissez entre les meubles, les tapis, la couleur des murs ou du papier peint et tous les objets qui peuvent orner la pièce un concert de relations.

Si vous y réussissez, une musique silencieuse résulte de cette harmonie, qui suggère une présence accueillante aux hôtes qui en franchissent le seuil.

Et pourtant, cela est immédiatement évident, ces relations, que votre goût discerne intuitivement, n'ajoutent rien à la réalité de chacun des objets qui entre en concert avec les autres. Le fauteuil n'est rien de plus qu'un fauteuil et la table rien de plus qu'une table, qu'ils soient empilés dans un garde-meubles ou qu'ils soient engagés dans la délicate ordonnance de votre maison. Mais ils ne disent rien dans le premier cas et ils deviennent musique dans le second.

La relation peut donc se réduire à cette entité subtile d'un pur rapport qui, sans rien ajouter à la réalité des choses, provoque en elles cette sorte d'extase, cette sortie d'elles-mêmes qui établit l'accord de chacune avec les autres.

Un atome solitaire, comme dit Bachelard, est à peine concevable. C'est la relation qui actualise son dynamisme et c'est d'elle que tout être, finalement, tire sa signification. C'est pourquoi ce savant philosophe a pu écrire : «Au commencement est la relation.»

La pensée chrétienne, en affinant à l'extrême cette notion de relation, l'a introduite avec autant de respect que d'amour au cœur de la méditation trinitaire. La personnalité en Dieu n'étant qu'un pur rapport, une référence subsistante à l'autre, cette relation n'ajoute rien à l'Être divin. Elle permet seulement qu'il se vide de soi dans une éternelle réciprocité d'amour.

C'est ce que suggérait déjà ce terme si précieux d'«*homoousios*» (consubstantiel), auquel s'arrêta le premier concile de Nicée, pour signifier qu'il n'y a rien dans la Personne du Père qui ne soit identiquement, totalement, éternellement dans la Personne du Fils et également, avec la même plénitude, comme on devait le préciser plus tard, dans celle du Saint-Esprit, la distinction réelle entre les trois Personnes étant constituée par une pure relation qui fait «circuler» tout l'être divin entre elles sous un aspect propre à chacune.

Comme la personnalité en nous n'est, en fait, qu'une relation, qu'une référence vivante à l'Autre (divin), avec lequel, cependant, nous ne sommes pas consubstantiels (identiques en la nature), nous n'avons pas trop de peine à entrevoir la direction dans laquelle il convient de regarder pour éprouver toute l'immense libération que nous apporte la révélation du Dieu Trinité.

Quand on en a entrevu la signification réelle, on ne peut plus concevoir Dieu autrement et l'on se sent merveilleusement délivré du spectre du narcissisme infini auquel serait réduit un Dieu solitaire, rivé uniquement à la contemplation de soi.

C'est précisément parce que Dieu est Trinité, avec le sens de totale désappropriation de soi impliqué dans la perception chrétienne de ce mystère, que nous sommes amenés à la plus authentique connaissance de nous-mêmes et que nous pouvons envisager notre propre personnalité comme le fruit mûr d'une désappropriation radicale. On peut dire que ce problème de la personnalisation est un casse-tête métaphysique. Il n'a au fond jamais été résolu. Peut-être ne peut-il l'être en dehors de la lumière inattendue et merveilleuse, issue du dépouillement de Dieu.

Sans cette révélation (perçue sans doute *implicitement* par tous ceux qui ont vécu saintement avant la naissance du Christ ou aujourd'hui encore par ceux qui l'ignorent), comment aurions-nous pu nous situer clairement en face de nous-mêmes, comment aurions-nous pu émerger de ce vieux fonds cosmique où s'enracine notre «moi» instinctif, auquel nous lient tant d'obscures complicités?

On l'entrevoit maintenant, il n'y a qu'une seule manière de faire de soi une personne: c'est de se prendre tout entier à la racine de l'être pour se donner tout entier. Mais, pour que cela fût possible, il fallait la présence d'un Amour lui-même éternellement et infiniment dépouillé, il fallait la rencontre avec le don total à travers lequel se constitue, au cœur des relations intradivines, la personnalité du Père, du Fils et du Saint-Esprit.

Aussi bien, n'est-ce pas parce que Dieu est essentiellement libre de soi que plus un être se rapproche authentiquement de la Divinité, plus il est délivré de lui-même? C'est dans cette liberté à l'égard de soi, en effet, que nous reconnaissons toute personnalité authentique comme un espace de lumière où notre propre liberté, accueillie sans restriction, se sent appelée à s'accomplir et où le mystère divin nous devient le plus sensible.

Si, en effet, ce rapport avec l'Amour qui nous attend au plus intime de nous prend toujours cette forme de désappropriation de soi, c'est, comme inscrit dans notre expérience, l'indice que cet Amour n'est pas autre chose que la communication infinie de lui-même, dans cet élan virginal qui fait de chaque Personne divine un pur regard vers l'Autre.

Nous pouvons faire maintenant un pas de plus. Nous avons déjà remarqué que, dans la perspective trinitaire, Dieu est totalement personnalisé. Nous venons d'observer le lien étroit entre notre personnalisation et notre rencontre authentique avec lui. Cela implique que la *connaissance* efficace que nous pouvons avoir de lui est une connaissance *engagée* et qu'elle est proportionnelle à notre engagement, comme il était aisé de le prévoir[1].

On peut, en effet, connaître un objet, dans un laboratoire, jusqu'à ses ultimes constituants nucléaires, sans s'engager, sans

---

1. Puisqu'il s'agit d'une relation interpersonnelle.

se mettre en question. On ne peut connaître une personne – un mari sa femme, une femme son mari, des parents leur enfant, un enfant ses parents, un ami son ami – sans faire le vide en soi pour accueillir son intimité. Il en va de même, à plus forte raison, dans nos rapports avec Dieu, qui est un pur *intus*, comme dit saint Augustin, un pur dedans, une pure intimité. Nous ne pouvons l'atteindre efficacement que du dedans et à la mesure de notre propre intériorisation.

Bien qu'Il soit en nous «plus intime à nous-mêmes que le plus intime de nous-mêmes», il ne peut devenir la «Vie de notre vie» que par notre ouverture au Don qu'il est, dont nos limites ou nos refus peuvent diminuer ou intercepter le rayonnement, comme une expérience quotidienne nous l'apprend.

Cette possibilité de limiter ou d'effacer Dieu en nous, qui tient, précisément, au caractère interpersonnel de nos rapports avec lui, nous permet d'entrevoir le *pourquoi* de l'Incarnation.

Si la *révélation divine* implique une relation interpersonnelle, si elle s'inscrit dans un devenir humain, si elle est conditionnée par un changement dans l'homme, par un progrès dans sa personnalisation, on conçoit qu'elle soit inévitablement limitée et incomplète dans la mesure où elle a uniquement pour véhicules des hommes limités et imparfaits.

La prière de Jérémie pour la destruction de ses ennemis (Jr 18, 19-23) nous rend sensible, chez un des plus grands prophètes, l'infléchissement qu'impriment les limites humaines à l'inspiration divine. Que de pages dans la Bible doivent être lues, pareillement, à travers l'optique humaine qui ramène Dieu à son niveau, comme dans tout rapport interpersonnel chacun voit l'autre avec ses yeux et ne peut le voir autrement qu'en changeant de regard. La parole de Dieu, aussi bien, ne se prononce pas dans un absolu abstrait, elle s'adresse à des hommes concrets et s'adapte à eux pour les atteindre autant qu'ils sont capables de la recevoir. C'est, comme on l'a dit justement, une des formes de la Pauvreté divine d'avoir accepté de se frayer un chemin dans notre histoire sous des traits qui la pouvaient défigurer. Pour échapper à toute déformation, la révélation divine devra se faire jour dans une humanité parfaite, capable de communiquer la présence de Dieu dans une pure transparence sans la limiter. Cette exigence nous amène au *comment* de l'Incarnation.

Pour cerner ce *comment*, écartons d'abord un certain nombre d'images qui risquent de matérialiser notre langage, comme cette vieille cosmologie : le ciel en haut, la terre au milieu, par rapport à un enfer qui serait au-dessous. Renonçons du même coup à prendre littéralement, pour signifier l'Incarnation : «Il est descendu du ciel.»

Le dialogue avec la Samaritaine, en Jean 4, ne nous invite-t-il pas à chercher Dieu *en nous* comme une source qui jaillit en vie éternelle ? Il Le suppose donc déjà présent dans ce ciel intérieur à nous-mêmes, auquel pensait sans doute le pape saint Grégoire lorsqu'il écrivait : «Le ciel est l'âme du juste.»

Saint Augustin dissipe toute hésitation à cet égard dans le résumé de sa conversion, quand il dit à Dieu : «Tu étais avec moi, c'est moi qui n'étais pas avec toi.» Toutes les générations humaines peuvent se reconnaître dans cette confession : Dieu était toujours déjà là, c'est l'homme qui n'était pas là pour accueillir le don qui ne cessait de lui être offert. C'était donc à l'homme de venir à Dieu et non à Dieu de venir à l'homme. Autrement dit : c'est l'homme qui devait être transformé pour offrir à Dieu, dans une présence totale, la possibilité de se révéler sans se limiter. C'est ce que suggère admirablement le symbole dit de saint Athanase, lorsqu'il affirme que le Christ est un (une seule personne) «non par le changement de la divinité en la chair mais par l'*assomption* de l'humanité à Dieu».

On ne peut exprimer plus brièvement que l'Incarnation exclut toute espèce de changement en Dieu et que tout le changement qu'elle implique concerne l'*humanité* de Jésus.

Pouvons-nous préciser en quoi consiste ce changement qui fait de l'humanité de Jésus le truchement parfait d'une révélation indépassable ?

« Je est un autre » : ce mot de Rimbaud, qu'il convient de reprendre encore, répond à une fulgurante intuition de ce que pourrait être une personnalité qui serait radicalement affranchie de toute adhérence à soi et qui serait donc constituée par une pure relation à un autre.

C'est vraisemblablement dans cette perspective qu'il faut se placer pour progresser dans notre recherche. Disons donc à titre d'approximation : l'humanité de Jésus est radicalement désappropriée de soi, incapable de dire « je » pour son compte, en référence à soi et en s'enfermant en soi. Elle est pure ouverture à l'Autre divin, elle subsiste en lui, elle est personnalisée par lui, elle ne témoigne que de lui, elle est, en un mot, assumée par la Personnalité du Fils éternel, qui demeure, comme dit Jean (1, 16), dans le sein du Père.

Pouvons-nous aller plus loin ? Nous avons appris qu'en Dieu la Personnalité est pure relation à un autre dans une infinie désappropriation de soi. En affirmant que l'humanité de Jésus est *prise tout entière* dans cette relation, ne pouvons-nous pas dire qu'elle est radicalement vidée de soi par l'emprise de la Pauvreté divine qui lui communique son dépouillement ? C'est ainsi qu'elle deviendrait apte non pas à nous parler de Dieu dans un langage qui le limite inévitablement, mais à nous le rendre présent en personne – comme l'Emmanuel – dans la transparence absolue de son total effacement en lui.

Notre propre expérience peut nous aider à pressentir le réalisme de l'esquisse que nous venons de tenter. Nous éprouvons nous-mêmes une attraction divine qui nous assume chaque fois qu'il nous arrive d'être « guéris » de nous, car notre personnalité se constitue elle aussi comme une référence à Dieu et elle s'accroît dans la mesure où nous nous vidons davantage de nous-mêmes pour mieux lui offrir l'espace de notre amour. Nous entrons ainsi, à notre manière, dans l'orbite de la Pauvreté divine.

Nous sommes orientés, en bref, par d'intermittentes ébauches, vers ce qui se réalise en plénitude en Jésus, qui représente, si l'on peut dire, le cas limite d'une libération qui, pour être totale, exigerait en nous une désappropriation égale à celle que son humanité tient de son enracinement intégral dans le dépouillement subsistant du Verbe éternel.

Ces « balbutiements », pour reprendre un mot du pape saint Grégoire, prendront une assise plus ferme si nous envisageons maintenant la *mission* de Jésus, à laquelle sa situation unique dans notre histoire est ordonnée.

Saint Paul résume cette mission en présentant le Christ comme le *second Adam,* comme le chef et la tête d'une nouvelle création, axée sur l'Esprit. L'univers tel qu'il est, en effet, avec son immense poids de matérialité, ne correspond pas au dessein de Dieu. Il a été « assujetti à la vanité » (Rm 8, 20), par l'homme dont l'état actuel trahit et déjoue, d'une manière bien plus profonde encore, les intentions divines. C'est justement pourquoi l'univers peut nous voiler Dieu, et l'homme Le déformer. Mais c'est aussi pourquoi, en vue précisément de manifester le vrai dessein de Dieu, le suprême Révélateur ne peut nous faire connaître le vrai visage de Dieu sans nous restituer également le vrai visage de l'homme et de l'univers.

Ce rôle, qui rend le Christ solidaire de notre histoire et de celle de toute la création, nous invite à reconnaître *l'universalité* inscrite dans la structure même de son être. Si son humanité diaphane, en effet, n'a d'autre lien avec soi que la relation subsistante qui fait du Fils une éternelle offrande au Père, si elle est totalement désappropriée d'elle-même, ce n'est pas seulement parce qu'un tel dépouillement peut seul l'habiliter à révéler Dieu sans le limiter, mais c'est aussi parce qu'il peut seul la rendre capable d'assumer toute l'humanité et tout l'univers.

Ce qu'il faut mettre sous ces mots nous deviendra plus clair si nous prenons conscience de notre propre situation dans le monde et dans l'humanité. Le monde réel, pour nous, est notre espace vital, celui dans lequel nos besoins sont satisfaits, comme l'humanité réelle comprend les visages qui sont nécessaires à notre bonheur. Nous n'ignorons pas les catastrophes qui dévastent d'autres parties de la planète, les misères qui écrasent d'innombrables hommes proches ou lointains, les guerres, les génocides, les crimes qui les font périr ou qui les déshonorent, et nous savons assez d'histoire pour admettre que le monde n'a pas commencé avec nous. Mais tout cela ne nous touche que très superficiellement, tant que notre petit monde à nous n'en est pas sérieusement affecté. Bien que nous soyons instantanément informés de tout, nous n'avons avec les autres qui ne font pas partie de notre cercle familier qu'un contact distrait et anonyme, comme nous coexistons – de loin –, dans notre vie citadine, avec la nature infrahumaine où nous ne cherchons, le plus souvent, qu'à retrouver nos plaisirs et notre confort. Nous n'imaginons pas qu'une telle attitude puisse nous engager à prendre efficacement en mains le destin de l'humanité et celui de l'univers.

J'ai eu le sentiment très vif de cette absence de l'homme à l'homme et au monde au cimetière chalcolithique de Byblos, en regardant un squelette replié dans la position du fœtus dans une jarre éventrée, quand surgit en moi la question : quel lien y a-t-il entre l'être humain dont les ossements reposent ici depuis plus de 5000 ans et moi-même ? N'y a-t-il entre nous qu'un rapport de succession biologique, tel qu'il pourrait exister entre les animaux actuellement vivants et les cadavres de leurs ancêtres, ou appartenons-nous à une même histoire et sommes-nous compris dans un même dessein qui rend solidaires toutes les générations humaines ?

Ne sommes-nous, en d'autres termes, qu'une espèce zoologique comme les autres ou sommes-nous appelés à constituer tous ensemble, au-delà de l'espace et du temps, une unité permanente fondée sur la dignité inviolable de la personne ?

Mais cette dernière hypothèse, il faudrait, pour la justifier que chacun puisse vivre la vie de *tous* les autres, dans toutes les générations passées, présentes et à venir, comme la sienne propre. Qui en est capable ? Je sentais toute mon impuissance devant une telle exigence, quand me vint à l'esprit que le second Adam tout au moins pouvait y satisfaire, qu'il n'était pas simplement un maillon de la chaîne, mais qu'il pouvait – comme l'implique sa naissance virginale qui le met en quelque sorte hors série – tenir toute la chaîne dans une vivante continuité. Alors il me sembla mieux comprendre le pourquoi de ce *vide* infini que creuse *en son humanité* l'emprise de la Personnalité divine qui l'assume, en lui communiquant la désappropriation qu'Elle est. Il s'agissait justement de la rendre capable de vivre *chacun* comme intérieur à elle-même et de faire contemporaines toutes les générations en les embrassant toutes, également, dans un amour plus fort que la mort.

La question qui s'était posée à moi recevait, ainsi, tout au moins un commencement de réponse : le Christ pouvait fonder l'unité personnelle du genre humain, et, à travers elle, renouveler tout notre univers.

Mais il ne pouvait le faire en nous déchargeant de nos responsabilités. C'est pourquoi sur cette réponse, apparemment optimiste, s'étendait l'ombre de la croix. Jésus, aussi bien, n'est pas un magicien qui ensorcelle des objets. Il est une liberté infinie qui s'adresse à la nôtre, dont il ne peut vaincre les résistances qu'en assumant le poids de nos refus depuis l'origine jusqu'à la fin de l'histoire. Il devait en mourir, car la mort est la dernière ressource d'un amour piétiné qui s'obstine à aimer. Il devait en mourir en s'identifiant – pour faire contrepoids – avec le pire de nous-mêmes, en étant, comme dit saint Paul (2 Co 5, 21) fait péché pour nous.

Là est la clé de son histoire. Forcé d'entrer malgré lui dans un courant messianique qui concernait le destin d'un peuple, alors qu'il portait dans son amour le destin des personnes, dont chacune est un univers – comme Pasternak l'a magnifiquement dit –, il était engagé dans une inextricable ambiguïté, qui l'obligeait à composer avec son auditoire, ses disciples compris, en s'avançant dans une solitude toujours plus étanche vers le tragique dénouement de sa carrière. Ses apôtres eux-mêmes, qui devaient prendre la relève quand tout serait consommé, étaient les premiers à refuser d'envisager une fin qui ne serait pas triomphale. Dans leur pensée, le Dieu d'Israël – dont Jésus, croyaient-ils, tenait son mandat – ne pouvait être qu'un Dieu victorieux. Ils ne soupçonnaient pas, malgré l'éloge accordé au centurion païen, que, pour leur Maître, Dieu précisément avait cessé d'être le Dieu d'Israël, le Dieu *d'un peuple,* extérieur à lui et chargé de le protéger par sa puissance. Ils ne pouvaient imaginer que le message de Jésus concernait le Dieu des *personnes,* qui fait appel à leur liberté dans la révélation de la sienne, et que le refus opposé à son amour pourrait un jour prendre la figure d'un *échec,* dont la croix est, dans notre histoire, la tragique inscription.

Arrêtons-nous un instant à cette pensée. Inscrire dans notre histoire l'échec de Dieu, n'est-ce pas finalement ce qui résume le mieux la mission de Jésus comme Jean Lacroix le suggère dans une ligne de son beau livre sur «l'échec»? N'est-ce pas là le paradoxe «scandaleux» que saint Paul présente aux Corinthiens comme la «sagesse» qui cautionne sa prédication: «Nous prêchons, nous, un Christ crucifié, scandale pour les Juifs, folie pour les Gentils, mais pour ceux qui entendent l'appel, Juifs et Gentils, c'est le Christ, puissance et sagesse de Dieu (1 Co 1, 23-24).

Cette «folie» qui est la sagesse de l'Amour infini contient, avec une lumière bouleversante sur Lui, la plus haute révélation de nous-mêmes. Elle nous apprend que notre liberté a la croix pour mesure, que notre liberté (ou celle d'autres êtres qui en sont doués sur d'autres planètes) est le sens même de la création et que Dieu n'entend la reconquérir qu'au prix de sa mort dans le Verbe incarné.

Tout cela, bien sûr, ne pouvait être dit par Jésus, sous cette forme, au cours de sa vie publique. Le contexte historique de sa prédication lui imposait un langage adapté aux circonstances.

Il vivait dans un pays occupé qui ressentait comme un outrage à son Dieu la présence de l'envahisseur. Il avait à faire face à une religion traditionnelle rigoureusement structurée qui pouvait se targuer d'être le dernier bastion de l'indépendance nationale. Il avait à se garder des mouvements extrémistes qui faisaient flamber l'attente messianique pour cautionner leurs appels à la résistance, sans éteindre cependant une espérance qui fondait son crédit dans l'esprit de ses adeptes. Il avait, enfin, à déjouer les pièges d'adversaires qui n'attendaient de lui que les mots imprudents qui pouvaient le perdre. On comprend que dans ces conditions, dont les évangiles synoptiques, surtout, nous offrent une vision suffisamment concrète, Jésus ait dû *limiter* son message à ce que ses auditeurs devaient pouvoir entendre : au point que ses plus proches disciples eux-mêmes apparaissent si peu préparés à la catastrophe qui devait mettre fin à sa carrière qu'ils crurent, pour un moment, tous leurs espoirs ensevelis dans son tombeau.

Dans cette perspective les évangiles écrits dont nous disposons sont, pour une bonne part, des évangiles *en sursis*[1]. J'entends qu'ils reflètent une situation historique dont l'ambiguïté ne pourra être levée que par l'événement qui scellera dans le sang la nouvelle et éternelle alliance.

On ne peut les lire fructueusement qu'en se référant à cet événement où la révélation culmine dans la mort de Dieu.

C'est à partir de là qu'ils prennent leur véritable signification, dans leur marche trébuchante vers un dénouement qui ne pouvait être inopportunément dévoilé.

Accompli, comme il l'est depuis bientôt deux millénaires, il faut bien reconnaître que ce dénouement n'a pas imprimé, en tous ceux qui se sont réclamés de lui, le vrai visage du Christ. Son sacrifice comme ses paroles se sont le plus souvent figés dans un *credo* matériellement compris qui ne comporte aucun engagement décisif et qui tend plutôt à nous décharger de nos

---

1. Où Jésus est en quelque sorte le prophète de lui-même.

responsabilités. Le Christ a tout fait, ne suffit-il pas de compter sur ses mérites pour être sauvés ? Mais sauvés de quoi, si nous ne sommes pas libérés de nous-mêmes ?

La voie que nous avons suivie, à partir du Dieu trinitaire, nous a confrontés, au contraire, avec le plus haut appel qui ait jamais été adressé à notre liberté. C'est là l'Évangile éternellement vivant dans le Christ crucifié. Pascal l'a admirablement compris : « Jésus sera en agonie jusqu'à la fin du monde, il ne faut pas *dormir* pendant ce temps-là. »

Sans doute le Christ est ressuscité, mais ce n'est pas pour nous dispenser de mourir à nous-mêmes. Il demeure en nous, mais c'est justement pour nous libérer de nous.

C'est pourquoi nous ne pouvons témoigner de lui qu'en devenant pour les autres un espace illimité, qu'en vivant l'œcuménisme inscrit dans la structure de son être.

Nous n'avons pas seulement à leur apporter une doctrine mais une présence : la Présence même de l'éternel Amour. C'est au cœur de leur liberté, si la nôtre devient pour eux un ferment de libération, qu'ils le reconnaîtront, sans que nous ayons besoin de le nommer. Sa grandeur incomparable ne peut leur devenir sensible, en un mot, que si, comme disait Saint-Exupéry, nous nous « convertissons » à la nôtre.

Aussi bien, comment croiraient-ils qu'il est ce qu'affirme notre foi, si un changement radical en nous ne laissait, à travers le nôtre, transparaître son visage : comme celui d'un Ami qui les attend au plus intime d'eux-mêmes ?

5

Que reste-t-il du dogme au XXᵉ siècle ?

Nous rencontrons toujours authentiquement Dieu comme la source et l'accomplissement de notre *liberté*.

Cette liberté s'actualise – devient une réalité – dans notre *libération*, quand, au lieu de subir notre vie, nous en devenons la source et l'origine.

Cette libération, pour être radicale, implique l'évacuation du «je-moi» préfabriqué qui nous assujettit à nos déterminismes internes et qui est complice de nos impulsions instinctives. Elle requiert, plus exactement, *sa transmutation en un «je-moi» oblatif*, en qui se vérifie l'intuition de Rimbaud : «Je est un autre». C'est dire qu'elle comporte une nouvelle naissance, qui fait de nous des personnes : par le passage du dehors au dedans ou – ce qui revient au même – de quelque chose à quelqu'un.

La révélation de la Trinité donne à cette expérience sa suprême dimension, en nous faisant connaître la vie intime de Dieu comme une liberté infinie. Dieu, en effet, ne colle pas à soi : il est une éternelle communion d'amour.

Et nous voilà en face du *dogme*, qui est la présentation autorisée, sous la garantie de l'Esprit Saint, du contenu de la foi, ou – ce qui est pareil – du témoignage apostolique, sous les divers aspects qui intéressent la vie ecclésiale, au cours de son développement à travers l'histoire et en fonction des problèmes que ne peut manquer de susciter l'intelligence progressive du donné évangélique.

On sait qu'il a fallu près de trois siècles pour aboutir, en 325, à l'*homoousios*, au consubstantiel de Nicée, qui met un premier terme décisif à un débat difficile. Le monothéisme unitaire, qui implique un Dieu solitaire, constituait, en effet, le fondement de la foi des disciples de Jésus, avant sa rencontre avec lui. Quand ils auront reconnu en lui le *Fils* dans un sens unique, le Fils qui appartient à la sphère divine, ils vivront certes ce mystère jusqu'au martyre, mais ils éprouveront toujours une certaine difficulté à l'exprimer. Ils auront une tendance, tout au moins dans leur langage, à subordonner, sur le plan même de l'éternité, le Fils au Père, à partir de sa situation de *Verbe incarné,* comme si la Divinité appartenait par excellence au Père, et, secondairement, en dépendance du Père, au Fils et, en troisième lieu, si l'on peut dire, au Saint-Esprit.

Le consubstantiel de Nicée fournit une expression mieux équilibrée, qui signifie explicitement : Dieu *est* Trinité – par une appropriation désappropriante et totalement communicative de son essence –, ce qui revient à dire : Dieu est Amour, ou – c'est encore la même chose – Dieu est liberté.

Le consubstantiel – c'est là sa merveilleuse fécondité pour l'intelligence de la révélation – ne comporte aucune autre distinction possible, au sein de la vie divine, nous l'avons vu, que la relation. Le Père est pure relation au Fils, comme le Fils est pure relation au Père, et le Saint-Esprit pure relation au Père et au Fils. Aucune subordination n'est concevable là où la personnalité est constituée par une infinie désappropriation, par une totale référence à l'Autre.

Je ne cesse de dire que ce personnalisme divin est la source et la lumière du nôtre et qu'il nous serait presque impossible de faire de nous-mêmes des personnes – ne sachant pas dans quelle direction l'entreprendre – si nous n'étions orientés par ce dépouillement éternel au cœur de la Divinité, qui nous trace le chemin de notre liberté. Je pense que rien n'est plus actuel, que rien ne peut éclairer plus profondément tous nos problèmes que cette désappropriation, que cette pauvreté dans la vie intime de Dieu.

Je suis d'ailleurs convaincu que *tous* les dogmes doivent s'interpréter dans la même perspective, qu'ils sont tous ordonnés à la communication de la liberté divine comme ferment de la nôtre : à travers l'humanité du Christ, qui subsiste en cette liberté divine dans la personnalité du Verbe.

C'est, en effet, pour le redire encore, parce que cette humanité du Christ est totalement libérée d'elle-même, par la communication de la liberté infinie en personne, qu'elle est apte à nous révéler Dieu et à nous le donner sans le limiter.

Si tout cela est vrai, si le dogme est essentiellement libérateur, pourquoi a-t-il si mauvaise presse, pourquoi est-il si contesté, même parmi les chrétiens, dont beaucoup en prennent et en laissent selon leurs convenances ? Je crois que c'est parce qu'on l'a présenté trop souvent comme un *objet,* posé devant nous tel un phénomène de laboratoire, au sujet duquel on peut s'interroger sans s'engager, avec les meilleures chances d'aboutir à un non-sens. C'est un peu comme si on avait donné à un enfant un manuel de définitions abstraites pour lui faire connaître sa mère, en lui demandant : qu'est-ce que ta maman, comment dois-tu la voir et quelles sont tes obligations envers elle ?

Cette hypothèse est absurde. C'est pourtant ce que l'on n'a pas craint de faire pour Dieu. Au lieu de voir, dans la révélation, l'expression d'un rapport interpersonnel, qui suppose un engagement en vertu duquel la connaissance est proportionnelle à l'amour, on l'a présentée, assez généralement, comme la source d'un savoir, que l'on peut acquérir à la manière dont on apprend la physique ou dont on reçoit les informations d'une agence de presse, comme s'il s'agissait de quelque chose et non de quelqu'un. Contre cette désastreuse objectivation, il est urgent d'affirmer que le dogme exprime essentiellement *l'expérience d'un rapport interpersonnel,* qui est d'autant mieux compris qu'il est plus profondément vécu. C'est ce que suggère Jésus dans l'entretien avec Nicodème : « Nul ne peut voir le royaume de Dieu, s'il ne naît de nouveau » (Jn 3, 3).

Nous allons saisir ce rapport interpersonnel dans un cas dont je puis garantir l'authenticité. Un homme de sac et de corde, qui vivait dans la haute montagne, en n'hésitant pas à se servir de son fusil contre quiconque pouvait entraver la contrebande qu'il pratiquait activement entre deux frontières, aperçut un jour un morceau de papier sur la neige. Il le ramassa machinalement et il lut ces mots qui le bouleversèrent : « Perpétuel secours ». Qu'est-ce que cela voulait dire, est-ce que cela pouvait exister : un perpétuel secours ? Il lut plus attentivement : ce que le papier proposait était une neuvaine à Notre-Dame du Perpétuel Secours. Il se sentit poussé à s'engager dans cette neuvaine. Au bout de neuf jours il fut envahi par un tel sentiment de culpabilité qu'il se crut irrémédiablement damné. Il recommença la neuvaine. Une petite espérance commença à s'éveiller en lui : moyennant des milliers d'années de purgatoire, pensait-il, j'arriverai peut-être à esquiver l'enfer. Il poursuivit ainsi, de neuvaine en neuvaine, jusqu'à sept fois. Son espoir progressivement s'affermit, puis il se perdit de vue, en découvrant au fond de lui-même l'Amour infini qui l'attendait et auquel il se livra, avec un tel élan, que le prêtre qui reçut sa confession en fut émerveillé et obtint de lui le récit que je viens de rapporter.

On perçoit dans cette conversion d'un être fruste toutes les phases de la situation possible de l'homme devant Dieu. Tant que l'homme est extérieur à lui-même, il situe Dieu en dehors de soi. À mesure qu'il s'intériorise, Dieu lui devient toujours plus intérieur. Parti de la terreur, comme le brigand de notre histoire, il aboutit à l'amour. Il a d'abord vécu l'enfer comme son extériorité irrémédiable par rapport à Dieu ou, ainsi que le dit beaucoup mieux Paul Althaus, comme « une irrémissible absence de Dieu dans une irrémissible relation à Dieu ». Il a pris conscience de sa responsabilité infinie et il en a été écrasé. Puis il s'est ouvert peu à peu à une nouvelle possibilité d'être dans un pardon entrevu, jusqu'à ce qu'il comprenne que ses fautes étaient autant de blessures infligées à l'Amour infini. C'est lui qui mettait Dieu en enfer et non pas Dieu qui l'y condamnait. Il découvrait ainsi que l'homme est l'auteur de son destin – comme Shakespeare le montre si profondément dans le cas de Lady Macbeth – et que, dans ce destin choisi par l'homme, Dieu est engagé jusqu'à la mort de la croix.

Tel est le rapport impliqué dans ce dogme de l'enfer, vécu à toutes ses étapes, d'où se dégage la conviction qu'il ne s'agit pas d'un lieu mais d'une situation.

Chacune de ces étapes est vraie, précisément comme l'expression d'un rapport interpersonnel, mais c'est, évidemment, au bout de la route que le sens «ultime et intime» – selon l'expression de Robinson – du dogme se révèle. On voit clairement, dans l'exemple auquel nous venons de nous référer, que l'intelligence de la foi reflète toutes les phases d'une authentique conversion et qu'elle est d'autant plus libératrice que cette conversion progresse davantage.

Seul le refus absolu de notre responsabilité, en nous rendant obstinément extérieurs à nous-mêmes, nous livrerait à l'extériorité tragique d'une situation conforme à notre choix, en faisant justement de notre «irrémissible relation à Dieu» une «irrémissible absence». C'est ce que symbolisent sommairement les images populaires de l'enfer. C'est aussi ce que représente, avec une puissance souveraine, le drame de Lady Macbeth, frustrée de ses ambitions et garrottée par les liens dans lesquels elle s'est elle-même emprisonnée.

Un mystique, comme saint François, sera, en revanche, sensible aux blessures divines où le mal révèle sa vraie nature et il verra dans l'enfer l'Amour crucifié par nous et pour nous : qui le presse d'aimer pour tous ceux qui n'aiment pas.

Nous retrouverons le même caractère libérateur dans tous les dogmes, à condition de les vivre. Essayons de le vérifier à propos de la *conception virginale* de Jésus, qui est souvent contestée aujourd'hui.

Matthieu et Luc, comme on sait, en témoignent formellement, dans un milieu où la fécondité de la femme est généralement considérée comme le signe de la bénédiction divine – ainsi qu'on le voit dans le cas d'Élisabeth – et où la virginité, en conséquence, est normalement l'attente du mariage et non un état d'élection recherché pour lui-même.

Le texte de Matthieu est particulièrement émouvant par sa brièveté, par sa miraculeuse discrétion et par cette sorte d'éclairage indirect qui met en relief la conception virginale à travers le cas de conscience qui se pose à Joseph, dans le silence qui clôt ses lèvres et celles de Marie, devant un événement dont la clé ne lui sera donnée qu'après la décision, prise par-devers lui, de renvoyer sa fiancée en secret : « Quant à Jésus-Christ sa naissance eut lieu ainsi : sa mère étant fiancée à Joseph se trouva, avant qu'ils ne cohabitent, enceinte par l'intervention de l'Esprit Saint. Joseph, son époux, étant un homme juste et ne voulant pas la diffamer, résolut de la renvoyer en secret. Tandis qu'il s'entretenait de cette pensée, voici qu'un ange du Seigneur lui apparut en songe, disant : ‹ Joseph, fils de David, ne crains pas de prendre chez toi Marie, ton épouse, car ce qui est né en elle vient de l'Esprit Saint. Elle enfantera un fils et tu lui donneras le nom de Jésus, car c'est lui qui sauvera son peuple de ses péchés › » (Mt 1, 18-21).

Avant de décider si ce récit est rationnellement vraisemblable, comme s'il s'agissait d'un événement biologique soumis aux normes du laboratoire, il importe de voir ce qu'il peut signifier dans l'univers interpersonnel que Jésus a précisément la mission d'instaurer, en sa qualité de second Adam, qui fait de lui l'origine d'une nouvelle création. Pour découvrir cette signification, nous recourrons à un détour, dont on reconnaîtra peut-être, à l'usage, le bien-fondé.

Si nous essayons de revivre l'événement de la Pentecôte, quel sens pouvons-nous lui attribuer par rapport aux apôtres ? On peut dire en un mot qu'ils découvrent le Christ, dans une profonde transformation d'eux-mêmes, comme *intérieur* à eux-mêmes au lieu de le voir devant eux. Tout le drame de leur incompréhension, de leurs oppositions à l'annonce de la croix et de leurs reniements quand elle devient une réalité, provient de là, en effet: ils voyaient le Christ dehors au lieu de le voir dedans. Ils se trompaient sur le caractère fondamental de son humanité, divinement personnalisée et constituée tout entière comme le sacrement diaphane de la Présence infinie. Ils en jugeaient d'après leur propre humanité, qui, comme la nôtre, n'accédait que par intermittence à la liberté de la personne, pour retomber bientôt, comme nous, dans ce vieux fonds cosmique où l'homme est la proie de ses convoitises. C'est pourquoi ils n'avaient, le plus souvent, aucun contact réel avec l'humanité de Jésus, qui aurait pu leur dire, comme il le dira à Madeleine: «Ne me touchez pas.» C'est-à-dire: n'essayez pas de me saisir du dehors, cela ne vous servirait de rien.

On ne peut en effet atteindre réellement son humanité – totalement personnalisée et totalement libérée par sa subsistance dans le Verbe – qu'à la manière dont on s'approche d'une personne: par une identification d'amour.

Dans cette perspective, la première question que l'on se pose à propos de la naissance de Jésus est naturellement celle-ci: sa mère est-elle restée extérieure à Son *humanité,* n'a-t-elle eu aucun lien avec la dimension infiniment personnelle qui fait de cette humanité l'origine d'un univers axé sur la personne: que nous sommes si loin de réaliser dans le monde divisé et déchiré dans lequel nous sommes enracinés? Dans cette hypothèse elle n'aurait eu aucun contact réel avec son Fils. Il aurait passé à travers elle comme un objet, vu du dehors, dont elle n'aurait pas reconnu la vraie nature. Encore dans son sein, il aurait sanctifié son précurseur sans exercer sur elle aucun rayonnement. Si, au contraire, elle a été consciente de la qualité unique de son enfant et de la mission à laquelle il était voué, si elle l'a conçu virginalement et porté comme le Verbe incarné, elle n'a pu parvenir à cette connaissance que par une transformation d'elle-même aussi profonde que l'exigeait *l'intériorité* du contact qui pouvait seul fonder une telle connaissance, qu'en étant, en d'autres termes, totalement envahie par la présence de son Fils.

Dans cette seconde hypothèse, autrement dit, sa maternité suppose une relation radicalement interpersonnelle entre elle et lui. Elle le voit et le vit du dedans. Elle entre en contact avec lui par le plus intime d'elle-même. Elle l'enfante enfin par sa personne, liée jusqu'à sa racine à la personne de son Fils, elle l'enfante par sa liberté, par une contemplation qui la désapproprie foncièrement d'elle-même : avant qu'il ne prenne chair dans son sein. Sa fécondité ne relève pas des déterminismes de l'espèce, elle jaillit de la relation qui l'ordonne à lui, de cette référence à lui qui la personnalise en l'offrande de tout son être, un peu comme les stigmates de saint François constituent, dans sa chair, la dernière étape de son identification avec l'Amour crucifié.

Si la maternité de Marie a cette profondeur, si elle rejoint l'humanité de son Fils sous l'aspect infiniment personnel et intérieur qui lui est propre, elle participe, comme nous venons de le suggérer, à la désappropriation, au dépouillement et donc à l'universalité de cette humanité. Elle n'est mère que pour donner son Fils au monde entier. Sa maternité, dans ce contact diaphane avec Jésus, s'enracine dans la mission de Jésus. Elle embrasse avec lui tout le genre humain et tout l'univers. Elle est la seconde Ève comme il est le second Adam, née de lui par la grâce avant qu'il naisse d'elle dans sa chair personnalisée par sa relation avec lui. C'est ce que Dante exprime magnifiquement dans ce salut qui ouvre le dernier chant de la *Divine Comédie* : *Vergine Madre, figlia del tuo Figlio* (Vierge Mère, fille de ton Fils).

Nous rencontrons ainsi un *couple* à l'origine du monde nouveau, un couple virginal, fondé sur la plus haute liberté, à travers une relation strictement interpersonnelle, un couple qui doit rassembler toutes les générations charnelles dans le don perpétuel de son amour.

Jésus, nous l'avons vu, n'est pas un maillon dans la série des générations. Il est hors série : c'est lui qui tient toute la chaîne, en rendant tous les hommes contemporains par sa présence intérieure à chacun. C'est pourquoi il naît hors série comme le second Adam, en qui toute la création fait un nouveau départ.

Il n'est pas moins homme, comme on le dit, pour être né d'une Vierge, comme il n'est pas moins homme, pour être uni en personne au Verbe de Dieu : si l'on prend pour mesure de l'humanité non point notre nature soumise aux déterminismes cosmiques, mais la dimension personnelle qui nous en affranchit par une radicale transmutation.

De toute manière, pour comprendre la situation et le rôle uniques de la mère, il suffit d'envisager la mission et la personnalité uniques du Fils, en qui nous sommes appelés à passer de l'humanité-espèce à l'humanité-personne.

La *femme,* en Marie, prend ainsi une part éminente dans l'œuvre de la rédemption. Elle est révélée par elle dans ses plus hautes possibilités, dans sa plus intime dignité personnelle, dans sa suprême liberté, dans tout le dépouillement de son amour. C'est pourquoi la Vierge n'a pas cessé d'exercer une action virginisante qui peut transfigurer notre regard en le délivrant de ses convoitises : en même temps que sa maternité, qui embrasse tous les hommes et tout l'univers, nous rend merveilleusement sensible l'amour maternel de Dieu. Le christianisme sans elle – qui est la femme pauvre totalement désappropriée d'elle-même pour nous donner Jésus – manquerait de la dimension infiniment libératrice qui résulte, à cette hauteur, de la coopération totale de l'homme et de la femme.

Nous pouvons aborder maintenant un autre dogme, qui prête également à discussion : le dogme de l'Eucharistie. Le plus court chemin, pour le faire, sera de réunir, dans une synthèse qui s'impose d'elle-même, les trois événements principaux enchâssés dans les derniers entretiens de Jésus avec ses disciples :

1. la promulgation de la suprême consigne : « Aimez-vous les uns les autres comme je vous ai aimés » (Jn 13, 34) ;

2. le lavement des pieds (Jn 13, 4-15) ;

3. la dernière Cène (Mc 14, 22-23 et parallèles, *cf.* 1 Co 2, 24-27).

Il semble évident, en effet, que le lavement des pieds et la dernière Cène sont destinés à orienter et à réaliser la pratique de la suprême consigne : « Aimez-vous les uns les autres comme je vous ai aimés. » Laissant de côté le lavement des pieds, qui représente déjà la transmutation de toutes les valeurs, nous nous bornerons à considérer l'Eucharistie, en remarquant, d'abord, que la relation interpersonnelle avec Dieu qui fonde notre libération passe, normalement, par le prochain, qui est appelé autant que nous-mêmes à devenir le sanctuaire de Dieu. Or ce prochain pour Jésus, le second Adam, c'est tout homme, c'est toute l'humanité, c'est *toute créature,* depuis l'origine jusqu'à la fin de l'histoire.

Pour rejoindre authentiquement Jésus, il faut donc participer à l'universalité de son amour. Si nous limitons volontairement le nôtre, nous pourrons bien invoquer Jésus, mais nous en aurons fait une idole, en lui imposant nos limites. C'est sans doute pourquoi le Seigneur nous demande de nous unir tous autour de sa table, d'y venir *ensemble,* en assumant chacun en nous, en prenant en charge toute l'humanité, toute l'histoire et tout l'univers : afin que nous puissions le rencontrer comme il est, sans le limiter.

On peut penser, sans doute, que le Christ est toujours déjà présent à tous les hommes, qu'il est, comme on l'a si bien dit, « chez lui à l'intérieur des autres ». On peut admettre, en effet, que l'état de grâce est lié à la présence de son humanité en tous ceux qui en reçoivent le bienfait, puisque son humanité est le sacrement de toute grâce par son union personnelle au Verbe divin.

Mais la présence de Jésus n'entraîne pas nécessairement la nôtre, tout au moins au degré où il le faudrait pour nous ouvrir à la plénitude du don qu'il est. Il peut cheminer avec nous sur la route d'Emmaüs sans que nous le reconnaissions.

Il semble donc que l'Eucharistie ait pour but, en actualisant le sacrifice rédempteur, de nous rendre présents à Jésus plutôt que de nous le rendre présent.

Dans cette perspective l'Eucharistie impliquerait, d'abord, l'appel de l'Église – qui comprend virtuellement toute l'humanité et tout l'univers – à son Chef et à sa Tête qui est Jésus. Elle exigerait le rassemblement de *tout le corps mystique,* qui est seul en prise efficace sur lui, qui est seul habilité à l'invoquer tel qu'il est : comme le libérateur de tout le genre humain et de tout l'univers.

C'est cette universalité dans l'amour qui L'appelle qui constituerait la condition *sine qua non* de son avènement, de sa parousie, sous les espèces eucharistiques. Autrement dit la présence eucharistique, dans cette vue, est une présence *communautaire,* une présence pour l'Église, par l'Église, et avec l'Église. Elle est suscitée indivisiblement par son amour et par le nôtre, au point que toute consécration serait invalide s'il n'y avait plus, dans l'Église universelle, au moins une âme qui portât le monde dans son amour. Il ne s'agit pas, en effet, d'un geste magique, mais – ici comme partout – d'une relation *interpersonnelle* entre le Seigneur et nous. C'est ce qui fait du geste du « défroqué » qui prétend consacrer dans un bar un seau de champagne – dans le film de ce nom où Pierre Fresnay tient le premier rôle – une parodie sans effet, car la consécration ne peut ni se concevoir ni s'opérer sans la présence de l'Église.

En raison de l'universalité qu'elle suppose et qu'elle entretient, l'Eucharistie ne peut donc jamais devenir une dévotion privée, à la mesure de chacun. Elle est toujours un acte public, un acte universel, comme la présence réelle et durable dans le saint sacrement suppose, autant que la consécration, *la présence de l'Église toujours unie à celle du Christ.*

On ne peut communier, on ne peut entrer dans le rayonnement de l'Eucharistie, *sans se faire Église.* Cela n'exclut pas, bien au contraire, cette solitude silencieuse de l'âme avec Dieu, qui est un des deux pôles de l'universalité, qui a son centre au plus intime de la personne en chacun de nous.

Pouvons-nous dire, sans témérité, un mot sur le mystère qui s'accomplit, au moment de la consécration, au niveau des éléments du pain et du vin ?

Il faudrait, d'abord, pour dire quelque chose de valable, connaître les liens qui unissent l'univers physique à la liberté humaine, quand elle atteint le degré suprême que suppose l'union en personne de l'humanité du Christ avec le Verbe divin, qui lui communique son infinie liberté. Nous pouvons cependant en pressentir quelque chose. Si l'univers physique, dans lequel nous sommes enracinés, aboutit finalement en nous à la liberté, nous pouvons nous attendre à ce que cette liberté rejaillisse sur lui et qu'il soit ouvert à l'esprit : non seulement dans la *connaissance* purement contemplative que nous pouvons en avoir, mais encore dans *l'action* que l'esprit est éventuellement capable d'exercer sur lui. Le miracle, aussi bien, est-il autre chose que le rayonnement, à travers les phénomènes, de la liberté de l'Esprit ?

Saint Paul exalte, dans l'épître aux Colossiens, la primauté cosmique du Christ : « Tout a été créé par lui et pour lui. Il est avant toute chose et tout subsiste en lui » (Col 1, 16-17). Saint Jean de la Croix, de son côté, chante la transfiguration imprimée à toute la création par le regard du Christ :

Mil gracias derramando
pasó por estos sotos con presura,
y yéndolos mirando,
con sola su figura
vestidos los dejó de hermosura.

(En répandant mille grâces, en hâte, il a passé par ces bocages et les parcourant du regard, par son seul visage, il les a laissés vêtus de beauté.)

Il est donc concevable, si l'univers physique est perméable à la liberté, que le Christ, en qui s'incarne la suprême liberté, libère les éléments du pain et du vin de leurs limites naturelles pour en faire les véhicules de sa présence, en inaugurant en quelque sorte en eux la personnalisation de l'univers.

Pour faire un pas de plus, pour entrevoir le *comment* de cette opération, il faudrait savoir de quoi nous sommes faits et de quoi est faite, généralement, toute structure matérielle. Nous sommes effarés quand on nous dit que tous les noyaux des atomes compris dans la structure d'un corps humain pourraient tenir dans un cube de quatre milliardièmes de millimètre et que tous les noyaux accolés de tout le genre humain occuperaient dix millimètres cubes : la taille d'un grain de riz [1]. Nous sommes donc faits surtout, selon ces données, d'espaces vides. Notre vision habituelle de nous-mêmes témoigne d'une étrange ignorance de nous-mêmes. Ce que nous connaissons le moins est précisément la structure que nous sommes. C'est pourquoi on ne saurait être trop prudent en essayant de concevoir, à partir de connaissances aussi fragiles, comment la liberté du Christ dispose d'éléments matériels pour en faire les véhicules de sa présence.

J'ai tenté, à propos du problème de la mort, de résumer notre structure – ce qui constitue en nous la forme organisatrice – et toute structure matérielle dans un *chiffre,* en partant de la voix humaine ou – ce qui revient au même – de la configuration sonore de notre larynx. Cette musique de votre voix, que reconnaissent tous ceux qui vous connaissent, cette musique qui vous est propre et qui a un timbre personnel peut se chiffrer, et ce chiffre de votre voix suggère, s'il ne s'identifie pas avec lui, le chiffre de toute votre structure, le chiffre [2] qui distingue de toute autre votre individualité. L'essence d'un être humain, dans cette vue, le noyau qui assurerait son identité malgré toutes les différences apparentes, de l'embryon au vieillard, tiendrait dans ce chiffre qui correspondrait à une certaine longueur d'onde.

---

1. P. Pascal, *Notions élémentaires de chimie générale,* p. 51-52. Claude Tresmontant, *Comment se pose aujourd'hui le problème de l'existence de Dieu,* p. 356-357.

2. « L'information ? »

Ne semble-t-il pas, à certains moments privilégiés, qu'en saisissant une personne dans sa plus profonde intériorité on devine cette musique de l'être et qu'on est pénétré de sa lumière ?

Pourrait-on dire, dans cette perspective, que l'humanité du Christ, qui correspond elle aussi dans son essence à un certain chiffre, à une certaine longueur d'onde (qui embrasse tout l'univers), imprime son chiffre, au moment de la consécration, au pain et au vin ou plutôt qu'elle convertit leur chiffre dans le sien ?

Ce ne sont là, bien sûr, que des balbutiements, de simples images qui ne représentent rien de plus qu'une question.

Ce qui est certain, c'est que l'Église a vécu et vivra toujours de l'Eucharistie, dans la relation interpersonnelle et universelle qu'elle suppose. C'est sous cette forme de pauvreté que s'est réalisée la parole du Seigneur : « Et moi je suis avec vous pour toujours jusqu'à la fin du monde » (Mt 28, 20).

Nos cathédrales comme nos chapelles seraient vides sans le rayonnement de cette Présence, que signale si discrètement la petite lampe qui clignote dans le sanctuaire, et l'Église aurait péri, depuis longtemps, si elle n'avait été protégée contre le bruit que nous faisons avec nous-mêmes par le silence de Dieu.

C'est à ce silence, dont se nourrit l'intelligence de la foi, que pensait peut-être saint Ignace d'Antioche, lorsqu'il résumait, dans sa lettre aux Éphésiens, le message évangélique dans ces mots qui ne cesseront jamais de nous émouvoir : « Mystères de clameur dans le silence de Dieu ».

6

Le péché originel

NOTRE première difficulté à concevoir un péché originel, c'est que nous engageons rarement notre raison dans un choix où «il y va de la totalité de notre être». Bien que notre raison soit une possibilité de comprendre, de saisir les relations intelligibles entre un axiome ou un principe et les conclusions qui s'en déduisent nécessairement ou de découvrir les lois qui régissent tous les phénomènes observables en leur conférant une cohérence logique, nous n'appliquons guère cette raison à la compréhension de nous-mêmes. Nous *nous* vivons nous-mêmes instinctivement. Nous nous laissons conduire par des options passionnelles ou nous acceptons, sans critique, les jugements de savants, d'ailleurs qualifiés dans leur discipline, qui nous réduisent à un phénomène de laboratoire, à un pur objet, en nous déchargeant ainsi, en dépit sans doute de leurs intentions, de toute responsabilité.

En bref, la raison humaine fonctionne le plus souvent d'une manière automatique, comme un ordinateur, en des domaines qui peuvent être fort intéressants, mais qui ne nous mettent pas personnellement en question, quelle que puisse être par ailleurs l'étendue de nos connaissances. C'est ce qui fait dire à un éminent exégète, Pierre Grelot: «Certains savants, dévorés par la technique, peuvent être, sur le plan moral et spirituel, des sous-évolués.»

S'il en est ainsi, c'est que l'homme a à se faire. Il ne lui suffit pas, pour se connaître, de s'observer et de se raconter, comme tant d'auteurs de journaux intimes, aux autres et à lui-même. Il est, dans sa dimension propre, un pouvoir-être. Il est donc appelé à se choisir, en actualisant sans cesse ses possibilités d'être dans la construction progressive de sa personnalité. Comme, la plupart du temps, il n'est pas conscient de cette exigence d'être, qui révèle la puissance de sa liberté comme une capacité de libération à l'égard des préfabrications qui constituent le «je-moi» avec lequel il s'identifie, il ne se voit pas comme le problème fondamental qu'il lui incombe avant tout de résoudre. C'est pourquoi sa pensée se meut habituellement dans un monde d'objets qu'il peut connaître parfaitement sans se connaître lui-même. Il peut ainsi atteindre la Lune sans se joindre lui-même. Plus il est cultivé, souvent, moins il est préoccupé par sa propre création, en raison des intérêts multiples que lui offre le champ de recherche où son intelligence puise sa nourriture. Il est donc peu préparé à vivre une pensée qui l'engage à fond, en l'amenant à être l'origine de soi.

En résumé : nous ne sommes que rarement des personnes, comme notre liberté exerce rarement ce pouvoir autocréateur qui peut nous transformer jusqu'à la racine de notre être. Pascal, après avoir écrit : «L'homme n'est qu'un roseau, le plus faible de la nature, mais c'est un roseau pensant», ajoute, quelques lignes plus bas : «Toute notre dignité consiste donc en la pensée. Travaillons donc à bien penser : voilà le principe de la morale.» C'est qu'il donne à la pensée une ampleur infinie : «Par l'espace, l'univers me comprend et m'engloutit comme un point ; par la pensée, je le comprends.»

Mais, dans l'univers, il y a aussi tous les déterminismes que nous tenons de lui et qui paralysent notre liberté, en soumettant notre raison à des impulsions passionnelles. Pour n'être pas engloutie par l'univers, pour le surplomber comme un point par sa propre immensité, il faut donc que notre pensée se dégage d'abord de toutes les pressions que nos instincts non conquis exercent sur elle et qu'elle s'identifie, finalement, avec l'exigence créatrice de notre liberté.

Quand notre prise de conscience va jusque-là, quand nous comprenons que toute décision, dont nous sommes entièrement responsables, concerne «notre être en sa totalité», nous découvrons, du même coup, que tout acte vraiment libre est *originel,* qu'il met en jeu tout notre pouvoir-être et que nous sommes, en conséquence, ce que nous décidons d'être. Comme ce choix de nous-mêmes peut être positif ou négatif, acceptation ou refus, il en résulte que tout acte pleinement libre est créateur ou décréateur de nous-mêmes, qu'il contribue à faire de nous une personne, c'est-à-dire quelqu'un qui est l'origine de soi ou, au contraire, qu'il constitue un refus d'être origine, en nous maintenant au niveau des objets.

Si nous prenons au sérieux la liberté comme un pouvoir créateur de nous-mêmes, il apparaît que le bien dont elle est capable, quand elle s'engage à fond, est notre promotion à une existence authentiquement personnelle et que le mal dont elle est coupable, au même niveau d'engagement, est toujours une faute originelle, j'entends un refus d'être origine.

C'est cela qui me paraît capital: l'épreuve de la liberté, sa chance de déployer toute sa puissance est offerte à toute vie humaine, fût-ce seulement au moment de mourir.

C'est pourquoi nous sommes tous virtuellement capables, à chaque instant, d'une faute originelle, comme nous avons également la possibilité de nous faire origine.

Cette affirmation ne peut nous étonner, dès là que nous avons compris que tout l'ordre moral est une *question d'être,* pour une créature intelligente appelée à se faire au lieu de subir son existence. Sa liberté n'aurait, en effet, aucun sens, si elle n'avait pas à déterminer son propre destin.

Une détermination de cette importance décide aussi de notre situation par rapport aux autres, par rapport à l'univers, et, plus radicalement encore, par rapport à Dieu.

«Toute âme qui s'élève élève le monde», écrit Élisabeth Leseur, dans son journal. Inversement, peut-on ajouter, toute âme qui s'abaisse abaisse le monde. C'est-à-dire que notre action, quand elle est vraiment nôtre, ennoblit ou dégrade toute la création, en concourant ou en faisant échec au règne de Dieu.

Même s'il ne pouvait être question d'aucun péché originel, au commencement de l'histoire, chacun de nous n'en aurait pas moins été placé devant ce choix qui nous rend tous capables de vertus et de fautes originelles. C'est là une donnée consubstantielle à notre liberté, qui est la mesure de notre grandeur et le fondement de notre dignité. C'est pourquoi je suis porté à croire que les enfants qui meurent avant ce qu'on appelle conventionnellement l'âge de raison ont, eux aussi, l'occasion de choisir leur destin[1], comme je suis convaincu qu'ils sont également capables de relations interpersonnelles avec leurs parents dès les premiers jours de leur existence, sinon avant, à travers quelque chose de plus profond que la raison: qui est la lumière de l'être dans sa plus secrète intimité.

En admettant que l'épreuve de notre liberté a toujours ce caractère originel, nous ne pouvons concevoir que la première pensée qui apparut dans le monde, comme un éclair qui transcendait radicalement l'animalité, n'ait pas été soumise à une telle épreuve, puisque, dans son essence, la pensée implique une décision concernant l'être. Nous pouvons l'affirmer, semble-t-il, indépendamment du récit de la Genèse: la pensée par laquelle le premier homme a été constitué au moment même où elle s'est produite le plaçait en face d'un choix dont l'issue serait une promotion ou une déchéance, selon qu'il accepterait ou refuserait de se faire origine. Son refus, comme le nôtre, entraînerait des conséquences pour toute la création, et d'abord pour l'humanité dont il inaugurait l'histoire.

Pouvons-nous deviner l'ampleur de ces conséquences, sans nous référer à la révélation? Dans la perspective d'une évolution où la structure physique de l'homme a été longuement préparée, pendant des millions d'années, par le développement du

---

1. Fût-ce seulement à l'instant de leur mort. Cela dit sans préjudice du baptême, qui demeure l'initiation normale à l'ordre de la grâce.

monde animal, le surgissement de la pensée est un événement dont il est impossible de ne pas percevoir l'importance unique.

C'est, en effet, le commencement d'une nouvelle évolution, dont la possibilité dépend tout entière de l'usage de sa liberté que fera cette première pensée, qui est comme le *chaînon mutant* où le monde passe de l'animal à l'homme. En mettant l'accent sur ce fait que la pensée qui vient d'apparaître est la *première* pensée et qu'elle porte, comme telle, toutes les chances d'une *mutation* qui pourrait hausser toute l'évolution de la vie au niveau de la liberté ou – ce qui revient au même – au niveau de l'esprit, on peut pressentir que son refus aura pour conséquence l'échec de la promotion qui aurait coupé le cordon ombilical qui nous relie à l'animalité. En d'autres termes, la première pensée, parce que *première,* aurait eu une responsabilité unique, par rapport au niveau auquel devait se situer, par sa médiation, le développement ultérieur de l'évolution : le temps ayant son importance dans un univers qui est une histoire. Encore fallait-il qu'elle fût fidèle à sa mission.

Tout cela est vraisemblable. Nous pouvons, en tout cas, constater – est-ce le résultat de son infidélité ? – qu'en tant qu'espèce nous sommes encore très profondément enracinés dans une vie animale et qu'il s'en faut de beaucoup que nous formions une humanité-personne, dont les membres seraient liés entre eux par les exigences de l'esprit.

La responsabilité unique de la première pensée, telle que je viens hypothétiquement de l'exprimer, éclairerait la nôtre, mais ne la supprimerait pas, puisque notre pensée a, elle aussi, à sa manière, une portée universelle.

Il est à peine besoin d'observer, ici, qu'en attribuant à la première pensée les caractères que nous avons dits, à partir de notre propre pensée saisie dans ses ultimes possibilités, nous ne l'avons située nulle part, ni dans l'espace ni dans le temps. Nous n'avons pu, en d'autres termes, ni déterminer le lieu ni l'époque où le premier homme est apparu. Nous sommes simplement certains qu'il a surgi dans l'éclair transcendant de la première pensée qui devait entraîner la première décision.

Nous pouvons, après ce préambule nécessaire, envisager maintenant le récit biblique de la chute que nous lisons au chapitre 3 de la Genèse.

Pierre Grelot, dans ses très éclairantes *Réflexions sur le problème du péché originel,* fait remonter ce récit, pour l'essentiel, à l'époque salomonienne, soit au X{sup}e siècle avant Jésus-Christ. Il y voit une composition savante, élaborée dans un milieu sapientiel préoccupé essentiellement du sens de la destinée humaine, du mystère du mal enraciné dans notre histoire, en particulier, et de son lien avec le mystère du péché. Il reconnaît qu'aucun document provenant des origines humaines n'a pu tomber, à cette époque tardive, entre les mains du ou des rédacteurs de ce récit, si l'on considère comme possible que l'homme existe depuis un million et demi d'années ou davantage.

Dans ces conditions nous ne pouvons parler d'histoire au sens actuel du mot. Ce que l'auteur biblique entend faire ressortir c'est *l'épreuve de la liberté* qui est certainement contemporaine de l'apparition de l'homme proprement dit, puisqu'elle le définit et le constitue. Cette épreuve de la liberté dans son texte concerne un couple. C'est-à-dire que le premier éclair de conscience humaine se produit au cœur des relations interpersonnelles d'un homme et d'une femme[1], qui représentent toute la complexité et toute la richesse de l'être humain. C'est dans ce rapport mutuel qu'éclate la première pensée qui implique, puisqu'elle engage la totalité de l'être, un rapport avec Dieu. Ce rapport avec Dieu est concrétisé symboliquement par l'interdiction de manger le fruit de l'arbre de la connaissance du bien et du mal. C'est, en effet, en respectant cet interdit que l'homme reconnaîtra sa véritable situation devant Dieu, en s'acceptant comme créature avec les limites que comporte cette condition. La tentation qui s'insinue dans le couple l'invite, pré-

---

1. Sans exclure un aspect sexuel mais sans le mettre au premier plan.

cisément, à transgresser ces limites et à s'estimer capable de connaître par soi-même le bien et le mal, en un mot à être comme Dieu. Et le péché originel consiste justement à usurper le privilège unique de Dieu, en prétendant faire de l'être humain le créateur des valeurs qu'il choisira d'appeler bien ou mal. La femme, à travers l'attachement que l'homme lui voue, emporte son consentement et la chute est consommée par un acte indivisiblement personnel et social, puisqu'il engage le rapport essentiel des deux partenaires. C'est presque littéralement de cette manière que Pierre Grelot interprète le récit de Genèse 3.

Cette rupture avec Dieu disloque tous les autres rapports : entre l'homme et lui-même, tandis qu'il est livré à ses convoitises, entre l'homme et la femme, entre l'homme et ses semblables, entre l'homme et la nature : cependant que la mort fait son entrée dans le monde avec toute son obscurité, comme saint Paul l'affirme avec tant de force au chapitre 5 de l'épître aux Romains : «De même que par un seul homme le péché est entré dans le monde et par le péché la mort... (de même) la grâce de Dieu et le don conféré en la grâce d'un seul homme, Jésus-Christ, se sont-ils répandus à profusion...» (Rm 5, 12.15).

Comme la majorité des exégètes, Pierre Grelot reconnaît le langage symbolique, voire mythique, auquel recourt l'auteur de ce récit, dont la profondeur et la finesse n'en sont pas moins admirables. La glaise modelée pour créer l'homme, l'arbre de la connaissance du bien et du mal, la femme issue d'une côte de l'homme[1], le serpent tentateur, Dieu se promenant dans le jardin à la brise du soir, ce sont là évidemment des images sur lesquelles le narrateur n'entend pas mettre l'accent.

Le nom même d'Adam, qui veut dire l'homme, et celui d'Ève, interprété comme celle qui donne la vie, ne sont, bien sûr, pas des noms historiques et on ne tentera pas d'identifier davantage le lieu où se situe le jardin que nous appelons, avec la version

---

1. Ces trois expressions se trouvant au chapitre 2, qui fait corps, à partir du verset 4b, avec le chapitre 3.

grecque, le paradis. Le génie de l'auteur est d'avoir donné un suprême relief à l'épreuve et au drame de la liberté, par lesquels a nécessairement commencé l'histoire proprement humaine, sans prétendre aucunement en fixer l'époque et le site.

Tout a pu vraisemblablement se passer en un instant : la mutation de l'animal à l'homme par le surgissement suscité divinement de la pensée, la prise de conscience, par le couple, de ses rapports mutuels et de sa situation devant Dieu, sa décision, enfin, et sa chute. Dans ce cas le paradis pourrait peut-être désigner simplement les dispositions vierges avec lesquelles le couple aborda l'épreuve de sa liberté, en y incluant la pleine appréhension du caractère décisif de son choix et l'intuition des privilèges qui couronneraient sa fidélité.

À propos de ces privilèges, il n'est pas nécessaire, comme le souligne Pierre Grelot, d'attribuer au premier couple, avant la chute, une connaissance parfaite, autre que celle, précisément, de sa situation devant Dieu, ni de le considérer comme promis à l'exemption de toute souffrance et de la mort elle-même, à condition qu'il se soumette à l'ordre divin. S'il avait été fidèle, les épreuves de la vie et de la mort elle-même auraient simplement été vécues en une tout autre lumière dans un climat de grâce et de familiarité avec Dieu, que la transgression première n'aurait pas compromis.

Un problème qui mérite un examen sans préjugé est celui de *l'unité* du couple primitif, qui intéresse la transmission à tous les hommes des conséquences du péché d'origine – *peccatum originans* – sous la forme d'un péché originel – *peccatum originale* – dont ils ne sont pas personnellement coupables et qui comporte essentiellement la privation initiale de l'état de grâce et une certaine propension au mal sous la pression de la faute première et de toutes celles qu'elle a entraînées. Cette question nous intéresse, aussi bien pour suivre, particulièrement à travers les onze premiers chapitres de la Genèse, l'expansion du mal, *typifié* par le meurtre d'Abel, par les crimes qui provoquèrent le déluge, par la démesure enfin d'où résulta la confusion des langues, lors de la construction de la tour de Babel, que pour concevoir la mission rédemptrice du Christ à l'égard de *tout* le genre humain.

Il est nécessaire, pour répondre à cette question, d'évoquer brièvement les données de la paléontologie. L'homme dérive-t-il, dans sa structure physique, d'un seul phylum, d'une seule souche animale ou de plusieurs (hypothèse monophylétique ou polyphylétique) ? À supposer qu'il dérive d'un seul phylum – ce qui semble le plus probable –, l'hominisation se produisit-elle dans un seul couple, dont *tous* les hommes actuels descendraient, ou dans plusieurs couples (hypothèse monogéniste ou polygéniste) ? Pierre Grelot s'efforce de montrer que l'hypothèse polygéniste (plusieurs couples à l'origine) n'empêcherait pas un péché originel s'étendant à tous les hommes, pourvu que ces couples aient tous failli spontanément à l'épreuve première de leur liberté ou qu'ils aient été entraînés à cette défaillance par la contamination d'un premier couple déchu. La question reste ouverte, comme celle de savoir quelle capacité intellectuelle ou quel degré de développement du cerveau suppose l'exercice d'une liberté chargée d'une responsabilité qui embrasse toute l'humanité.

Jusqu'où peut-on remonter pour se trouver vraiment en face de l'homme : jusqu'à l'homme de Néanderthal, jusqu'au sinanthrope ou au pithécanthrope, jusqu'à l'*homo habilis* d'Oldowaï, situé à un million et demi d'années par rapport à nous, jusqu'au zinjanthrope trouvé au même lieu, ou, plus loin encore, selon l'ordre retenu par Pierre Grelot, jusqu'à l'australopithèque ?

Ces réflexions et ces références sont précieuses. Je me demande cependant si elles sont indispensables à la présentation du donné révélé. La mutation décisive qui suscite l'homme, comme Pierre Grelot lui-même le souligne, est la prise de conscience d'ordre moral qui conditionne l'épreuve de la liberté. Le chaînon mutant n'est donc pas ici de nature physique, bien qu'une structure physique adéquate doive l'avoir rendu possible : c'est un événement transcendant, intérieur, spirituel, c'est, encore une fois, cet éclair de pensée qui embrasse tout l'être et détermine librement son destin. Est-il, dès lors, absolument nécessaire que ce soit par voie de génération physique que se transmettent toutes les conséquences désastreuses du premier refus ?

Si la première pensée impliquait vraiment toute l'espèce humaine dans sa décision et si elle était consciente de cette universelle responsabilité, elle était reliée à chaque homme par un lien plus profond que la génération physique qui pouvait inclure également les autres couples, éventuellement existants, et les entraîner dans sa chute, avant qu'ils n'aient fait le choix requis de toute créature intelligente, quand elle prend pleinement conscience d'elle-même. On peut dire, peut-être plus simplement, qu'une seule pensée, dans cette supposition, *la toute première,* aurait été *élue* comme le chaînon mutant, qui engageait toute l'humanité, comme responsable de son unité personnelle, et que *tous* les hommes, à ce titre, devaient être, pour le meilleur ou pour le pire, les fils de cette pensée, même s'ils ne tiraient pas du premier couple leur origine charnelle. Je propose cette hypothèse pour ce qu'elle vaut, à titre de simple question, sans oublier que Pierre Grelot envisageait quelque chose d'analogue par rapport aux couples éventuellement contemporains du couple mutant.

Je passe maintenant à l'aspect essentiel de la révélation contenue dans Genèse 3. Que signifie ce récit, si le dogme qu'il véhicule exprime, comme tous les dogmes, l'expérience d'un rapport interpersonnel entre Dieu et l'homme ?

Vous vous rappelez comment Pascal, après sa fameuse exclamation : «Quelle chimère est-ce donc que l'homme ? Quelle nouveauté, quel monstre, quel chaos, quel sujet de contradiction, quel prodige ! Juge de toutes choses, imbécile ver de terre ; dépositaire du vrai, cloaque d'incertitude et d'erreur ; gloire et rebut de l'univers» : comment Pascal envisage le péché originel qui peut seul, selon lui, expliquer les contrastes qu'il dénonce en nous :

Chose étonnante, cependant, que le mystère le plus éloigné de notre connaissance, qui est celui de la transmission du péché, soit une chose sans laquelle nous ne pouvons avoir aucune connaissance de nous-mêmes. Car il est sans doute qu'il n'y a rien qui choque plus notre raison que de dire que le péché du premier homme ait rendu coupables ceux qui, étant si éloignés de cette source, semblent incapables d'y participer. Cet écoulement ne nous paraît pas seulement impossible, il nous semble même très injuste; car qu'y a-t-il de plus contraire aux règles de notre misérable justice que de damner éternellement un enfant incapable de volonté, pour un péché où il paraît avoir si peu de part qu'il est commis six mille ans avant qu'il fût en être[1]? Certainement rien ne nous heurte plus rudement que cette doctrine; et cependant, sans ce mystère, le plus incompréhensible de tous, nous sommes incompréhensibles à nous-mêmes. Le nœud de notre condition prend ses replis et ses tours dans cet abîme; de sorte que l'homme est plus inconcevable sans ce mystère que ce mystère n'est inconcevable à l'homme.

D'où il paraît que Dieu, voulant nous rendre la difficulté de notre être inintelligible à nous-mêmes, en a caché le nœud si haut, ou, pour mieux dire, si bas, que nous étions bien incapables d'y arriver; de sorte que ce n'est pas par les superbes agitations de notre raison, mais par la simple soumission de la raison que nous pouvons véritablement nous connaître.

Ce style magnifique, qui claque comme un fouet, n'empêche pas que Pascal ait passé, ici, à côté de l'essentiel. Le récit de la Genèse ne se propose pas, en effet, de confondre notre raison, mais d'innocenter Dieu des maux qui nous accablent, en montrant, dans un acte de liberté où l'homme avait à choisir son destin, le premier acte de l'histoire proprement humaine. Saint Paul, nous venons de le voir, a parfaitement compris cette intention d'exclure en Dieu toute initiative et toute participation dans l'ordre du mal: «De même que par un seul homme le péché est entré dans le monde, et par le péché la mort» (Rm 5, 12), dans

---

1. Aucun théologien, on le sait, n'admet aujourd'hui une telle damnation sur le fondement du seul péché originel.

cette phrase suspendue par des incidentes, il affirme un lien indissoluble entre le mal de la faute et les malheurs de notre condition, qui résultent d'une transgression commise volontairement, en pleine connaissance des risques qu'elle entraînait.

Mais en quoi consiste au juste cette transgression? Pierre Grelot parle d'une usurpation du privilège unique du Créateur – dont la parole peut seule déterminer le bien et le mal –, du fait que la connaissance du bien et du mal est cherchée par une autre voie que la référence au commandement reçu, l'homme s'estimant capable de connaître par soi-même le bien et le mal. Il dit que la loi absolue de l'existence est de prendre position à l'égard de Dieu, en s'acceptant ou en se refusant comme créature. Paul Humbert, qu'il cite, qualifie de son côté le péché originel «d'acte de coupable indépendance» qui constitue la désobéissance et la démesure par excellence.

De telles expressions risquent de donner l'impression d'une rivalité presque inévitable entre Dieu et l'homme, qui doit sans cesse reconnaître sa dépendance, et d'affaiblir la valeur et la grandeur de l'épreuve de la liberté.

Que l'auteur de Genèse 2 et 3 ait vu Dieu dans cette perspective: comme Celui à qui la créature doit se soumettre, c'est indubitable. S'ensuit-il qu'il est apparu sous ce jour à la première Pensée ou que nous ayons nous-mêmes à retenir cette conception? Le progrès infini de la révélation, dans le témoignage et la vie du Christ, nous presse de dépasser les limites d'un écrit qui date de mille ans avant l'Évangile.

La croix, nous l'avons vu, est la suprême réponse au problème du mal. Elle ne suggère, pas plus que le lavement des pieds, une soumission à accomplir: elle révèle un Amour blessé à mort qu'il s'agit d'accueillir par notre amour.

Or Dieu n'est pas autre à l'origine qu'Il n'apparaît sur la croix où il est «fait péché» pour nous. Il nous épargne la tentation de nous faire dieux, car c'est lui-même qui veut nous faire dieux, en nous appelant à être l'origine de nous-mêmes au lieu de subir, comme des choses, une existence préfabriquée. La création, en effet, nous l'avons dit, n'est pas un geste magique, elle est une histoire à deux où le dépouillement infini de Dieu, qui constitue l'abîme de l'Amour qu'il est, appelle en nous le dépouillement «ultime et intime» qui conditionne notre libération.

L'épreuve de notre liberté n'est donc pas un piège tendu à notre fragilité, elle est bien plutôt le seul accomplissement concevable de notre grandeur. Comment, en effet, créer un être libre, sans lui offrir la possibilité de se créer, en faisant de l'être qu'il a reçu une offrande dont il dispose?

La Bible n'est pas un manuel d'anthropologie, elle ne peut rien nous apprendre sur l'origine et l'évolution physique de l'homme dans la préhistoire. Elle retrace l'histoire du salut qui est l'histoire de notre libération: par une toujours plus ample communication de la liberté divine, selon que la nôtre s'affranchit toujours plus authentiquement de ses limites.

Il y a quelque chose de profondément enrichissant dans cette perspective biblique. Nous sommes trop habitués à l'univers déterministe de la science. Il est bon d'en voir l'envers ou plutôt l'endroit, qui est la liberté.

Exploiter l'univers pour satisfaire nos besoins ou assurer notre confort n'est pas la seule manière d'entrer en rapport avec lui.

L'univers a une dimension sacrée parce qu'il est lié à une présence infinie, qui veut se communiquer à lui, à travers nous, mais qui ne peut le faire qu'avec notre consentement.

C'est ce que saint Paul nous rappelle, en nous montrant toute la création gémissant dans les douleurs de l'enfantement, en attendant la révélation de la gloire des fils de Dieu (Rm 8, 22).

Le drame des origines, le drame de toute l'histoire, c'est, finalement, que Dieu n'est pas aimé. Jésus est en agonie depuis le commencement du monde, comme il le sera jusqu'à la fin.

C'est ce qu'il convient de retenir de toute réflexion sur le péché originel : Dieu a fait de nous les arbitres de sa Présence au monde. Il ne peut s'y manifester comme liberté qu'à travers notre liberté. Chacun de nos actes conscients le concerne et peut lui ouvrir ou lui fermer la porte de notre histoire. C'est ce qui constitue réellement l'infinité de notre pensée. Dieu ne nous domine pas : il nous attend.

7

L'Église : permanence et changement

EN L'AN 4 avant Jésus-Christ, le légat et général romain Quintilius Varus – qui devait périr en l'an 9 après Jésus-Christ dans les forêts de Germanie – chargé de réprimer une révolte juive, fit crucifier 2000 Juifs. Un supplice aussi fréquent, appliqué à Jésus, ne pouvait retenir, à ce seul titre, l'attention des historiens. Sa fin tragique aurait aboli le souvenir de sa vie – puisqu'il n'a rien écrit – si ses disciples n'avaient pris soin de le conserver. Sa résurrection sans doute aurait pu frapper les esprits. Mais les documents dont nous disposons attestent qu'à l'encontre de sa condamnation et de son supplice – qui exigèrent l'intervention des autorités juives et romaines et eurent donc un caractère public – sa résurrection eut un caractère *confidentiel* et ne fut manifestée qu'à un groupe restreint d'hommes et de femmes qui étaient attachés à sa personne et qui devaient constituer la première communauté chrétienne.

C'est cette communauté – qui prendra le nom d'Église – qui est notre seul lien historique avec Jésus. Nous tenons d'elle tout ce que nous savons de lui. Nous lui devons les écrits du Nouveau Testament. C'est elle, en effet, comme dit Hermann, «qui a produit l'Écriture» et qui est «le milieu vital où chacun peut entrer dans le message du Nouveau Testament». C'est elle qui a transmis une tradition orale antérieure à ces écrits, dont elle a vécu avant eux et sans eux, et qu'elle a déposée en eux sans s'y enfermer. C'est elle, enfin, qui a reconnu, peu à peu, le caractère *inspiré* de ces mêmes écrits, qui en fait une Écriture sainte, en fixant, au cours du second siècle, le «canon» des livres qui doivent être reçus comme Parole de Dieu.

Il n'y a aucun doute à ce sujet. C'est grâce à l'Église naissante que le nom et l'œuvre de Jésus se sont inscrits dans l'histoire. Mais l'Église de la première génération, l'Église apostolique, ne s'est pas bornée à transmettre les souvenirs des témoins qui l'ont vu et entendu, qui ont vécu avec lui et auxquels il est apparu après sa victoire sur la mort. Ce serait trop peu. Nous savons, en effet, qu'un témoignage, même inspiré, peut souffrir des limites venant des témoins qui risquent toujours de le réduire à leur mesure et, qu'en toute hypothèse, il demeure inévitablement exposé aux limites de tout langage humain.

Nous avons reconnu qu'un des motifs de l'Incarnation était, précisément, de nous offrir, à travers une humanité parfaite, une révélation définitive : parce qu'exempte de toute limite. Ce qui impliquait un lien indissoluble entre cette humanité parfaite et cette révélation définitive.

Il fallait donc – Jésus étant reconnu au titre de Verbe incarné comme la suprême révélation *en personne* – que Jésus demeurât et que l'Église ne transmît pas seulement le souvenir de sa parole – d'ailleurs conditionnée originellement par la réceptivité plus ou moins grande de ses auditeurs et engagée, par la suite, dans l'évolution d'une foi qui la pouvait comprendre à des niveaux différents – mais qu'elle fût avant tout le véhicule de *sa présence,* qui pouvait seule donner vie à sa parole et en faire un Évangile éternel.

C'est sous cet aspect de présence du Christ que Shaoul (Saul), d'après le récit des Actes des apôtres (9,5), découvrit l'Église, en qui il n'avait vu, jusqu'alors, qu'une communauté rivale de la Synagogue : « Je suis Jésus que tu persécutes. »

Le Seigneur, qu'il n'avait jamais rencontré, bien qu'ils fussent contemporains, *s'identifiait* ainsi avec l'Église, en révélant le vrai visage de celle-ci à celui qui allait devenir, avec tant d'éclat, l'Apôtre des nations.

Toute la théologie de l'Église tient dans cette identification : « Je suis Jésus. » Mais pour que cette identification soit possible, il faut que la visibilité de l'Église soit totalement transparente, pour la foi, à l'invisibilité de Jésus ; il faut, autrement dit, que tout ce qui n'est pas lui, dans l'Église, s'efface en lui et ne soit jamais autre chose que signe et sacrement de lui.

Personne n'a parlé avec plus d'autorité, n'a revendiqué plus fermement les pleins pouvoirs apostoliques que saint Paul : « C'est comme si Dieu vous exhortait par nous », écrit-il aux Corinthiens (2 Co 5, 20). Mais personne n'a reconnu avec plus de ferveur son rôle de serviteur : « Serait-ce Paul qui a été crucifié pour vous ou est-ce au nom de Paul que vous avez été baptisés ? » (1 Co 1, 13). Paul n'est rien, ni Pierre, ni Apollo (1 Co 3, 5). C'est Jésus qui parle et qui agit en eux.

L'Église, dans cette vue de foi, est en état de permanente *démission.* Tout son pouvoir est un pouvoir de démission, d'effacement total en Jésus. Elle est le sacrement vivant de sa présence. Elle est un mystère de pauvreté. Elle ne peut que donner Jésus et elle cesserait d'être elle-même si elle cessait de le donner.

L'infaillibilité que saint Paul revendique pour son Évangile – fût-ce contre lui-même, fût-ce contre un ange du ciel – dans son épître aux Galates (1, 8) ne signifie pas autre chose que cette solidarité absolue de l'Église avec Jésus. En tant qu'apôtre, il tire tout son crédit de Jésus, qui l'a appelé et qui l'envoie, et c'est uniquement en raison de ce crédit que l'on ne peut faire qu'à Jésus qu'il réclame la foi de ses communautés. L'infaillibilité, dont il invoque la caution pour son message, veut donc dire : ce n'est pas moi qu'il faut croire, moi qui suis avec vous le premier fidèle de la parole que j'annonce, cette parole que je ne comprends comme vous qu'en m'enracinant dans l'intimité du Christ : c'est lui qu'il faut croire comme c'est lui qu'il faut aimer.

Ce qui est vrai de l'Église apostolique est vrai de l'Église à travers toute son histoire, ou il n'y aurait plus d'Église. L'infaillibilité que lui garantissent la présence et l'assistance du Christ assure l'incorruptibilité du témoignage apostolique dont elle a reçu le dépôt, c'est-à-dire qu'elle implique l'impossibilité pour la hiérarchie, investie de la succession apostolique, de présenter irrévocablement à la foi comme étant du Christ ce qui n'est pas du Christ. Tout le mystère de l'Église est là, dès l'origine jusqu'à la fin des temps : dans l'Église nous n'avons affaire qu'avec Jésus. Il faut bien sûr, pour le reconnaître en elle, être dans un rapport interpersonnel avec lui, car un tel rapport permet seul d'aborder l'Église dans la foi qui est, comme le dit admirablement Coventry Patmore, « la lumière de la flamme d'amour ».

Par la foi, nous faisons aisément la soustraction de l'homme, depuis la trahison de Judas, en passant par le reniement de Pierre, jusqu'aux scandales des papes Jean XII et Alexandre VI, pour n'en nommer que deux, et jusqu'à nos fautes à nous, prêtres et fidèles du XXᵉ siècle. Car chacun de nous peut devenir Satan, comme Jésus appelle Pierre, après lui avoir déclaré qu'il était la pierre sur laquelle il construirait son Église (Mt 16, 23). Mais dès qu'un membre de l'Église, fût-ce Pierre lui-même, devient Satan, il cesse par là même, en cette qualité, d'être l'Église.

Qui est libéré de soi par la foi – sans laquelle il est impossible de discerner l'Église d'une institution humaine – est libre dans l'Église, est libre à l'égard des hommes d'Église, et il ne se demande pas ce que le pape ou l'évêque pense, croit ou comprend, mais ce que Jésus, par eux, veut nous dire et nous donner.

Il faut y insister : une *vision mystique* est la seule manière de percevoir authentiquement l'Église, corps mystique du Seigneur, et de reconnaître en elle ce que Saul, devenant Paul, a découvert en elle : Jésus. C'est cela, au-delà des limites humaines – dont il faut faire la soustraction en nous autant qu'en n'importe quel autre membre de l'Église – qui est *permanent* et qui seul conditionne la légitimité de la foi chrétienne.

Cette vision, qui a suffi à tant de chrétiens éminents du passé, aurait-elle perdu son efficacité pour nous ? On serait tenté de le croire devant les contestations qui se répandent à travers toute la chrétienté, en entraînant de si retentissantes défections.

À quelle prise de conscience correspond un malaise aussi répandu, qu'il est impossible d'attribuer *a priori* à une infidélité coupable ?

Je crois discerner l'ambiguïté fondamentale qui constitue la racine de ce malaise, mais, avant de la formuler d'une manière explicite, il me semble nécessaire de rappeler que toute religion a été d'abord, aussi loin que l'on puisse remonter dans l'histoire, un phénomène *collectif,* dans ce sens précis qu'il intéressait un groupe humain – famille patriarcale, clan, tribu, cité, nation, empire – pris dans son ensemble, autant ou plus que les individus qui le constituaient. Cela était inévitable : la morale indispensable à l'existence pacifique et à la survivance du groupe, en effet, dut chercher très tôt, dans quelque divinité, un fondement et une garantie inébranlables, en même temps qu'une protection contre les dangers internes ou externes qui pouvaient compromettre sa sécurité. Cette alliance de la collectivité avec un élément divin se retrouve à toutes les époques.

Au sommet de la civilisation hellénique, nous voyons Socrate condamné à mort, en 399 avant Jésus-Christ, pour la raison, entre autres, qu'il n'honore pas les dieux de la cité. Entre 161 et 180 après Jésus-Christ, « le plus vertueux des empereurs romains », le plus scrupuleux dans ses examens de conscience, Marc-Aurèle, laisse sans hésitation persécuter les chrétiens, « ces opiniâtres » qui refusent de s'associer au culte de Rome et de l'empereur qui peut seul cimenter l'unité d'un empire fait de peuples divers, dont la religion est le seul lien.

Les empereurs chrétiens attendront le même service du christianisme. Il devra lier leurs sujets par une obéissance à laquelle les oblige un ordre divin. Constantin, le tout premier, fait entrer l'Église dans son administration et la surveille comme un instrument de son gouvernement.

Pour tenter d'échapper à cette tutelle d'un pouvoir civil absolu, l'Église, dès qu'elle le pourra, opposera le *pouvoir absolu de Dieu* – dont elle est directement mandataire – aux prétentions de la puissance temporelle.

L'effondrement de l'Empire romain, sous la poussée des Barbares, en Occident, donnera à cette riposte ecclésiastique une possibilité toujours plus ample de s'exprimer, en permettant finalement aux papes et à certains évêques – qui perpétuaient, d'une certaine manière, une civilisation capable de s'imposer aux Barbares – de réunir en leurs personnes le pouvoir spirituel et le pouvoir temporel.

Quelle que soit la légitimité de fait de cette fusion des deux pouvoirs entre les mains des pontifes, il est certain qu'une théocratie chrétienne résulta, en Occident, tout au moins, de la revendication par l'Église d'un absolutisme divin auquel les monarques eux-mêmes étaient tenus de se soumettre.

Selon les personnes – qui incarnaient le pouvoir ecclésial –, cette affirmation pouvait s'imprégner d'une authentique spiritualité. Saint Ambroise a grande allure quand il interdit, en 390, l'entrée de sa cathédrale à Théodose, en exigeant qu'il fasse pénitence pour le massacre de Thessalonique, ou saint Grégoire VII quand il oblige Henri IV d'Allemagne, qui a fait déposer le pape, à venir à Canossa faire sa soumission à l'Église. Mais à quels compromis furent entraînés les pontifes qui n'étaient pas des saints ?

Pour comprendre comment une théocratie, prétendant à une puissance souveraine (symbolisée par la tiare), a pu se constituer sur le terrain de l'Évangile, il ne faut pas oublier que l'Albanie s'est glorifiée, en 1968, d'être le premier État *athée* du monde. Cela veut dire que la solidarité entre cité et religion a de si profondes racines historiques qu'il semble très difficile de les disjoindre, comme on le voit notamment, encore aujourd'hui, en Espagne, en Italie et, dans une certaine mesure, en Angleterre.

La collectivité comme telle ne doit-elle pas un hommage à Dieu ? Tout un problème de sociologie est impliqué dans cette question. Les deux pôles d'une société humaine ne sont-ils pas, en effet, constitués par ces deux termes : ensemble et seul.

Un peuple est formé d'hommes qui doivent être unis sous l'autorité des lois indispensables à leurs coexistence pacifique. Mais ces lois ne peuvent, sans abus, empiéter sur leur solitude, interférer avec leurs options personnelles tant qu'elles ne mettent pas en danger l'ordre public. Il apparaît donc qu'un État doit se borner à imposer ce qui est nécessaire à l'établissement et au maintien d'un ordre public qui sera d'autant plus parfait qu'il permettra à chacun d'accomplir dans sa solitude une création personnelle. Une religion d'État est difficilement compatible avec le respect de cette solitude. Elle lèse inévitablement une minorité. Elle perd de vue que l'individu est contraint d'appartenir à la société civile et que celle-ci n'a pas le droit de restreindre, d'aucune manière, sa liberté intérieure, qui est sa seule chance de se faire homme.

L'État, en bref, ne doit pas être une Église, comme l'Église ne doit pas être un État[1].

Sans doute l'Église est une société, mais c'est une *société sacramentelle,* à laquelle on adhère librement et qui a ses assises et son centre vivant *dans la solitude* de chacun. C'est, par excellence, une société de personnes qui sont unies par la commune respiration d'un même Amour qui est, pour chacun, s'il vit vraiment dans la foi le mystère de l'Église, la Vie de sa vie.

À ce point, comment éviter la question : Dieu est-il le Dieu des peuples ou le Dieu des personnes ? Si l'on répond : il est autant, sinon davantage, le Dieu des peuples que celui des personnes, on fonde et on consacre, précisément, l'ambiguïté qui est à la racine du malaise actuel. Car un peuple, *comme tel,* ne

---

1. Nous ne visons pas ici l'État (symbolique) du Vatican qui exprime *aujourd'hui* simplement l'indépendance de la mission spirituelle de l'Église à l'égard des pouvoirs temporels.

peut avoir une relation mystique avec Dieu. Il ne peut le concevoir que sous l'aspect d'un pouvoir absolu, extérieur à lui-même, dont il dépend et dont il espère une protection, moyennant un hommage qui est une sorte de tribut payé par le sujet à son souverain.

On ne peut défendre une telle conception sans admettre que l'Église, qui représente ce pouvoir divin, participe à sa souveraineté absolue, en étant seule capable de fixer les limites de ses interventions.

Si Dieu, au contraire, est une Liberté infinie qui s'adresse à notre liberté, en la faisant mûrir par le don de Lui-même, au cœur de notre plus secrète intimité, on conclura qu'Il atteint les collectivités à travers les personnes et que l'Église, sacrement de la Présence toujours vivante du Christ, n'a d'autre mission que de nous communiquer cette Liberté *en personne* qui est le Verbe incarné, par le seul pouvoir dont elle dispose, qui est un pouvoir de radicale démission.

Au fond du débat douloureux avec lequel nous sommes confrontés, la question primordiale, on le voit, c'est, encore et toujours, de quel Dieu parlons-nous et à quel homme ?

Si le Christ estime notre vie au prix de la sienne, il nous offre la plus haute révélation de la grandeur dont il est en nous le ferment, par le truchement de l'Église qui véhicule sa présence. Comment pourrait-elle être, en son essence, autre chose que l'instrument diaphane de notre libération dont Il est la source ?

La théocratie ecclésiastique s'explique, nous l'avons vu, par les circonstances, par l'intention, inspirée sans doute de la théocratie biblique, de tenir en échec le pouvoir absolu des monarques par le pouvoir absolu de Dieu. La hiérarchie a pris, dans cette lutte, peut-être inévitable, la figure et parfois le goût du pouvoir, de ses titres et attributs symboliques, avec, trop souvent, de terribles complaisances à l'égard de toutes les puissances temporelles. Cette ambiguïté a rejailli sur Dieu et a provoqué, quand ce n'était pas l'indifférence ou la révolte, une attitude de soumission à sa toute-puissance plus qu'un désir d'union personnelle avec Lui.

Il est absolument nécessaire, à coup sûr, de faire cesser cette confusion en révélant sans équivoque le Visage de l'éternel amour et en recouvrant, pour le faire d'une manière efficace, le sens de démission absolue, consubstantielle à la mission de l'Église, le sens et la pratique de la Pauvreté en qui saint François a reconnu Dieu.

Mais c'est d'abord en nous, en chacun de nous, que cette démission doit s'accomplir et cette pauvreté se manifester. C'est par la libération de nous-mêmes, dans la conviction vécue que «Je est un Autre», que nous contribuerons vraiment à la liquidation d'un passé où les saints n'ont pas manqué, qui ont su découvrir dans la foi, en dépit d'une ambiguïté dont ils n'étaient pas dupes, le visage sans tache ni ride de l'Église que saint Paul présente aux Éphésiens (5, 27).

Évitons les cris et les accusations injustes. L'urgence de rompre avec une équivoque aussi vieille que l'humanité ne doit pas nous entraîner à ébranler, par des dénonciations incontrôlées, la foi des humbles et à manquer de respect envers une hiérarchie – toujours nécessaire – qui a pu hériter de bonne foi une conception qui doit être dépassée[1] au nom d'un amour sans compromis – dont nous avons les premiers à fournir la preuve – envers Celui qui nous envoie, puisque nous sommes *tous* des envoyés dans son Église où la différence des *fonctions* n'empêche pas l'identité de la *mission,* qui est de Lui rendre témoignage par toute notre vie avec, pour chacun, une responsabilité égale, à cet égard, à celle de la hiérarchie.

Saint Paul nous a appris à faire la soustraction de lui-même et de Pierre et d'Apollo. Notre volonté de justes et nécessaires réformes dans les hommes d'Église, à commencer par nous, ne doit pas nous faire oublier que l'Église, mystère de foi, est notre seul lien avec le Christ historique et avec sa présence réelle dans notre histoire. Elle ne fait pas écran, dans son essence mystique, entre lui et nous, pas plus qu'il ne fait écran entre Dieu et nous. Bien plutôt nous croyons en Dieu par Jésus dans l'Église. S'il nous faut tout mettre en œuvre pour que cette Église apparaisse à tous, et aux plus pauvres d'abord, comme le sacrement diaphane de la présence du Seigneur, assurons-nous, avant tout, de notre fidélité à le faire vivre en nous, en prenant pour mesure cette parole de saint Augustin, qui exprime si admirablement tout le mystère de l'Église dans l'existence personnelle de chacun: «Écoutez, mes frères, et comprenez! Nous n'avons pas seulement été faits chrétiens, nous avons été faits Christ.»

8

Célibat ecclésiastique
et indissolubilité du mariage

GANDHI, qui fut, pendant quarante ans, la conscience vivante de l'Inde, fonda sur la non- violence la libération de son pays, occupé par les Anglais. Il voulait que ses compatriotes pussent affronter leur indépendance en étant d'abord affranchis de leurs propres servitudes. Il savait que les déterminismes internes sont les plus redoutables et qu'un homme libre est celui qui les a surmontés. Son exemple, héroïque jusqu'au martyre, cautionne les conclusions que nous avons tirées de la comparaison entre morale d'obligation et morale de libération.

Une morale d'obligation, nous l'avons vu, élève des barrières, dresse des garde-fous qui contraignent et refoulent nos déterminismes, pour prévenir, autant que faire se peut, leur explosion anarchique. Elle ne les résout pas, elle laisse intactes leurs racines, elle est souvent ébranlée par leur violence cosmique. Une morale de libération peut seule atteindre leur fondement, les modifier radicalement en les intériorisant et les faire concourir, affranchis de toute fatalité, à la construction de la personne.

C'est donc, naturellement, dans la perspective d'une morale de libération que nous envisagerons la sexualité, impliquée dans le problème du célibat et du mariage.

La sexualité, dans la psychanalyse freudienne, est considérée comme un instinct primaire et, donc, comme un déterminisme fondamental, mais d'abord comme une «fonction qui permet

115

d'obtenir du plaisir de (certaines) zones du corps». Elle est originairement, pour Freud, et reste encore chez l'enfant, «perverse et polymorphe». Elle ne s'orientera que peu à peu, presque exclusivement, vers la génitalité, qui comporte finalement l'acte reproducteur. Il faut cependant admettre que celui-ci était inscrit, dès l'origine, dans l'instinct, sinon la recherche non génitale du plaisir aurait abouti à l'extinction du genre humain.

Freud fait une remarque plus incontestable, lorsqu'il écrit: «La sexualité est la seule fonction d'un organisme vivant qui dépasse l'individu et assure son rattachement à l'espèce.» Elle mobilise, en quelque sorte, l'individu au service de l'espèce. Elle établit une tension dialectique entre elle et lui.

De fait, la sexualité met en jeu, normalement, les mécanismes et les éléments reproducteurs: le spermatozoïde et l'ovule. Elle suppose, à la base, l'attraction réciproque de ces deux gamètes, leur affinité physicochimique, leur complémentarité fondamentale.

Le mariage essentiel, du point de vue de l'espèce, est la fusion du spermatozoïde et de l'ovule, qui amorce la venue à l'être d'un nouvel individu.

C'est quand et parce que ces deux éléments sont portés par des individus séparés, mâle et femelle, qu'il s'agit d'unir ces individus pour assurer le mariage biologique de ces mêmes éléments.

Un attrait *psychique,* spontané, chez les animaux où les deux sexes sont nettement distingués, rapproche le mâle et la femelle et les amène à s'unir dans tous les cas où la fécondation s'opère dans le corps maternel.

Cet attrait psychique vers l'union physique auquel concourt, bien sûr, toute une chimie hormonale, ignore la reproduction, c'est-à-dire qu'il peut se produire sans que le mâle et la femelle soient conscients des conséquences de leur union pour l'espèce. Le psychisme se borne à traduire, dans un langage passionnel et comme en écho subjectif, l'attraction objective, physicochimique, du spermatozoïde et de l'ovule.

Cette sorte d'aveuglement du psychisme, quant aux conséquences de la sexualité pour l'espèce, s'observe fréquemment chez l'homme. Toute la littérature, toutes les chansons, tous les films d'amour vibrent d'une passion où l'enfant ne tient aucune place. Chez les animaux, les batailles entre mâles pour la possession d'une femelle témoignent de la même limitation du champ instinctif.

On comprend d'ailleurs aisément cette cécité psychique. Le mâle ni la femelle ne s'intéresseraient à leur union physique si elle ne leur apparaissait pas comme *leur bien,* indépendamment de toute conséquence pour l'espèce. Le conflit des générations pourrait éclater au niveau des parents, qui refuseraient de céder la place, si la copulation se présentait à eux comme l'affaire de l'espèce. La nature a prévenu ce défaitisme génital par l'attrait réciproque des sexes, qui identifie les individus, comme malgré eux, avec l'espèce, en les emportant parfois comme un vertige irrésistible, ainsi qu'en témoigne Phèdre dans la pièce de Racine : « C'est Vénus tout entière à sa proie attachée. »

À ce niveau psychique, aussi bien, la passion domine et oblitère tout ce qui n'est pas elle. Elle constitue un monde fermé sur lui-même, précisément parce qu'elle n'est aucunement consciente du mariage physicochimique du spermatozoïde et de l'ovule, et qu'elle ne voit dans l'union physique que l'expression suprême d'elle-même.

Après la faim et la soif, il n'y a pas de déterminisme plus violent ni qui imprègne davantage *tout l'être* que la passion amoureuse.

On sait qu'il est quasi impossible d'en déterminer le pourquoi. Pourquoi telle femme et tel homme parmi des millions d'autres ? Quel charme a opéré et suscité l'attrait qui a fait naître un couple ? Question insoluble dans la complexité d'un envoûtement où l'on se trouve déjà pris quand on en prend conscience. On ne sait pas davantage comment cet attrait peut s'effacer au point de ne laisser aucune trace, comme l'avouait une femme divorcée qui disait n'éprouver pas plus d'émotion en rencontrant son ex-mari dans la rue qu'en y croisant le premier venu.

Ce que l'on constate avec évidence, en revanche, c'est que l'attrait sexuel, quand il prend la forme d'une passion totalitaire, ne comporte aucune autre issue que sa propre satisfaction.

Cela veut dire qu'il est impossible de maîtriser la sexualité sans changer de plan, sans accéder à l'étage interpersonnel, qui se construit par une radicale transmutation de tous nos déterminismes internes.

On peut s'acheminer vers cet étage interpersonnel, en face de la sexualité, de deux manières. Sous un aspect critique d'abord, en prenant conscience du soubassement biologique de tout attrait érotique, perçu comme la projection dans le psychisme de l'union, indispensable à l'espèce, du spermatozoïde et de l'ovule. À cet égard, les expériences de changement de sexe, tentées, entre autres, sur de jeunes coqs ou de jeunes poules, permettent de constater à quel point le comportement mâle ou femelle dépend de la physiologie et de son rayonnement sur le psychisme. Elles constituent pour nous un avertissement à ne pas surestimer nos impulsions passionnelles, quand nous sommes envahis par leur mirage[1].

Il est, cependant, beaucoup plus important de se demander si l'on atteint vraiment l'autre, dans sa personne, par le simple jeu de l'union physique.

J'ai lu, quelque part, cette anecdote. Un homme, très épris des charmes d'une femme, veut lui faire la surprise d'une invitation dans un nouveau restaurant parisien, dont le luxe et le raffinement culinaire défient toute description. Tandis qu'ils

---

1. «Pénétrer dans l'érotisme, c'est mettre exprès un pied dans la mort», écrit sévèrement Gabriel Germain dans *Le Regard intérieur*, p. 15.

attendent leur tour d'être servis, l'homme aperçoit un pauvre hère et ses deux enfants en haillons, le nez collé à la vitrine de l'établissement, avec des yeux pleins d'envie vers ce monde de surabondance dont ils sont exclus. Il détourne la tête, avec confusion, devant cette misère qui lui donne le sentiment d'une injustice dont il est complice. La femme, qui a vu elle aussi ce trio misérable, demande froidement à un serveur d'écarter ce spectacle qu'elle trouve inconvenant. Son compagnon éprouve alors le vide de cette beauté insensible et il est soudain dégrisé de sa passion.

Dans ses lettres à un jeune poète, Rilke, dont le mariage a été un échec, remarque, à propos des jeunes gens et des jeunes filles qui entretiennent précocement des relations sexuelles : ils se hâtent de se mélanger, mais ils n'ont rien à se donner, parce qu'ils ne sont pas encore.

Alain, de son côté, se posait la question : « Un homme peut-il aimer une femme folle ? » Et il répondait non, parce que la passion, même la plus sensuelle, cherche *quelqu'un* dont elle voudrait étreindre le mystère.

On rêve toujours, à moins d'être une brute, de rencontrer une personne. Encore faut-il qu'elle existe. L'attrait sexuel fait que l'on attribue facilement à son partenaire, dans la fièvre du désir, des qualités qu'il n'a pas, quitte à le voir comme il est après l'assouvissement.

En réalité, si l'on veut atteindre la personne en amour, il faut y mettre le prix. Il faut l'aider à naître en l'autre, en faisant d'abord de soi-même une personne. Se libérer de soi et concourir ainsi à la libération de son partenaire, ne serait-ce pas cela le grand amour ? Aimer, n'est-ce pas vouloir passionnément la grandeur de l'être aimé ?

Or cette grandeur, que chacun des conjoints devrait vouloir pour l'autre, ne s'obtient réellement que par l'humanisation des instincts. Elle suppose, autrement dit, une victoire de plus en plus complète sur tous les déterminismes internes, les déterminismes sexuels compris, qui nous induisent à nous faire espèce.

On a très souvent évoqué, à propos de l'encyclique *Humanæ Vitæ*, le progrès que représente la découverte des contraceptifs qui affranchissent infailliblement le couple des déterminismes biologiques, liés à la fécondité. On a évité de remarquer qu'ils peuvent fournir aussi le moyen le plus sûr de se soumettre aux déterminismes psychiques, qui s'opposent le plus radicalement à la libération qui conditionne la naissance de la personne en nous.

L'amour parfait serait évidemment celui qui lierait deux intimités l'une à l'autre par leur libération réciproque. Seul un amour de ce type peut durer sans cesser de s'accroître et d'offrir, chaque jour, une grandeur nouvelle à découvrir par chacun dans l'autre.

« Dire que tu es vieille et que je dois coucher avec toi », disait brutalement un mari à sa femme, qui avait visiblement perdu ses charmes, sans se douter qu'il avouait son propre échec à joindre sa compagne dans sa personne.

S'il doit unir deux personnes et non seulement deux déterminismes complémentaires, s'il doit durer toute une vie, l'amour engage essentiellement, chez les conjoints, toute *leur capacité d'infini,* qui ne peut être satisfaite que s'ils deviennent réellement *infinis* l'un pour l'autre : dans une radicale désappropriation d'eux-mêmes qui intériorise et personnalise tout leur être et crée entre eux cette distance de respect dont parle Kierkegaard, lorsqu'il écrit : « La proximité absolue est dans la distance infinie. » C'est cet « écart de lumière », selon le mot d'un éminent sociologue, qui virginise les sonnets que Dante consacre à Béatrice, en leur conférant une inépuisable fraîcheur :

Tanto gentile è la mia donna
Quando altrui saluta ch'ogne lengua
Divine tremendo muta
E gli occhi non l'ardiscono di guardare.

Tant gentille est ma Dame
Quand elle salue autrui que toute langue
En tremblant devient muette
Et les yeux ne l'osent regarder.

Sur un plan qui ne doit rien au rêve, j'ai souvent cité le cas de cette femme, paralysée depuis trente- neuf ans et aveugle depuis trente ans, que je rencontrais vers la fin de sa vie et dont l'inaltérable patience, dans une dépendance absolue à l'égard des autres, faisait mon émerveillement. Le secret de sa sérénité me fut révélé, lorsqu'elle m'apprit que, fiancée au moment où elle fut foudroyée par une attaque de polio, son fiancé redoubla d'attention envers elle et l'épousa après qu'elle fut devenue aveugle. Elle avait ainsi obtenu la plus haute révélation d'elle-même dans cet amour qui s'adressait à sa personne et qui l'appelait à se dépasser.

S'il s'agit, pour se réaliser, comme le suggère Flaubert, de passer de quelque chose à quelqu'un, on ne conçoit pas que l'amour puisse se soustraire à une telle exigence, qui implique, pour le redire encore, une entière désappropriation de soi et donc, aussi, l'impossibilité de vouloir posséder son partenaire.

C'est par là que la chasteté s'introduit au cœur de l'amour, comme la dimension personnelle qui lui donne son visage humain. Elle correspond à cette exigence d'être qui s'actualise dans la création de nous-mêmes, étant admis que le seul problème essentiel est de *nous faire hommes,* en nous donnant jusqu'à la racine de nous-mêmes – les uns par les autres – à cet Autre plus intime à nous-mêmes que le plus intime de nous-mêmes, qui est le centre de toute personnalité authentique autant que l'espace intérieur où notre liberté s'accomplit.

Comme le christianisme est axé, précisément, sur la liberté infinie du Dieu Trinité, communiquée en personne à l'humanité de Jésus, pour être communiquée à travers l'Église à tous les hommes, on comprend que l'on ait requis, entre le IVe et le VIe siècle, cette forme éminente de libération qu'est la chasteté :

des évêques en Orient, des évêques et des clercs engagés dans les ordres majeurs en Occident, précisément, parce qu'ils avaient à rendre sensible, dans leur vie, la liberté divine comme ferment de la liberté humaine. On les appelait, par cet engagement au célibat, à une paternité de la personne qui concerne toute l'humanité, en les déchargeant des responsabilités qui auraient absorbé leur première sollicitude dans un foyer qui eût été exclusivement leur. Et il n'y a pas d'expérience plus émouvante que d'avoir, comme disait un martyr, «en toute ville et en toute province des enfants en Dieu».

Pour comprendre cela, il faut admettre évidemment que Dieu est le premier Amour, qu'il est la respiration essentielle de tout amour, et qu'aimer vraiment, c'est échanger Dieu, échanger l'Infini.

L'amour conjugal, bien entendu, n'échappe pas, nous l'avons vu, à cette suprême exigence. Il ne peut être lui aussi, à sa manière, qu'un état de chasteté où les époux sont appelés à actualiser – l'un par l'autre – toute leur capacité d'Infini.

On compare souvent, à tort, un célibat idéal, entièrement fidèle à ses engagements, à un mariage médiocre, encore emprisonné dans les liens de la chair. C'est une profonde erreur. Les époux ne sont pas dispensés de travailler à s'affranchir de leurs déterminismes internes, y compris leurs déterminismes sexuels. Ils ne peuvent se faire homme et femme qu'à ce prix et leur union a pour mission essentielle de concourir, par leur aide mutuelle, à cet affranchissement, qui est la sainteté même. L'indissolubilité du mariage implique nécessairement cette condition. Ce serait les enfermer dans des limites intolérables que de leur demander la fidélité de toute une vie, s'ils n'étaient pas appelés à réaliser, ensemble, un bien infini qui rende leur union toujours plus libre. Ils ont, précisément, à fournir la preuve difficile que deux êtres, s'ils se dépouillent radicalement d'eux-mêmes, sont capables de s'offrir un don illimité. S'ils réussissent à atteindre un tel niveau, leur amour devient, par là même, *universel,* comme un espace de lumière offert à toute l'humanité : dans une paternité et une maternité de la personne qui embrassent tous les hommes. C'est justement sous cet aspect qu'il devient pleinement *sacrement* et qu'il peut symboliser l'union mystique du Christ avec l'Église, qu'il veut « sans tache ni ride, sainte et immaculée ».

Les parents de sainte Thérèse de Lisieux ont admirablement compris cette mystique du mariage, lorsque, après avoir décidé de vivre sans cohabiter physiquement pour s'unir d'abord au niveau de la personne, ils se sont laissé persuader qu'ils pouvaient accomplir – loin de la trahir – leur chasteté en donnant des enfants au Seigneur.

Bien entendu, une telle conception suppose une vie d'union à Dieu authentique et un plein accord mutuel, qui exclut toute tension et tout refoulement, sans quoi il ne saurait être question d'une vraie libération.

Chaque couple doit apprendre de quoi il est capable et ne pas prétendre avoir atteint une perfection au-dessus de ses forces. Mais on ne conçoit pas qu'il puisse être pleinement heureux sans y tendre par un exercice constant et très nuancé de cette charité réciproque qui est, comme dit saint Paul, « le lien de la perfection ».

Aussi bien, chaque fois que j'ai été appelé à donner un conseil au sujet des relations conjugales, je me suis interdit toute autre interférence que celle de rappeler ce primat de la charité, d'où procède toute vertu et sans laquelle il n'est point de vertu. La chasteté est finalement un aspect de la charité. La perfection de l'une, il est vrai, est aussi difficile que celle de l'autre.

Un facteur que l'on ne saurait négliger pour une juste estime de la chasteté est une saine anthropologie. Claude Tresmontant, dans son livre *Comment se pose aujourd'hui le problème de l'existence de Dieu,* écrit cette page lumineuse :

L'homme est un organisme vivant, il est une structure subsistante, un sujet : cela ne fait pas deux choses, cela n'en fait qu'une. Car un organisme vivant est une structure subsistante, matérielle.

Si la structure s'en va et disparaît, il ne reste pas un organisme, il ne reste pas un corps, il reste un tas, une multiplicité pure d'éléments biochimiques qui se décomposent et retournent à leurs constituants élémentaires, une poussière.

Un organisme vivant, un corps vivant, est composé d'une multitude d'éléments chimiques intégrés, associés dans une structure unique, capable de subsister, alors même qu'elle renouvelle le stock d'éléments biochimiques qu'elle intègre, capable de croître, de se réparer, de se reproduire.

Il y a donc bien une composition dans un organisme vivant : d'une part, il y a les éléments matériels, multiples, et d'autre part, il y a un principe formel, une structure subsistante, qu'Aristote appelait la forme du vivant ou son âme (psyché).

Mais on ne peut pas dire légitimement que le vivant soit composé d'une « âme » et d'un « corps », car dans le terme « corps » on a déjà implicitement compris le principe formel, le principe d'organisation et de structuration. Il n'y a corps vivant que lorsqu'il y a organisation. Lorsqu'on dit que l'homme est composé d'une « âme » et d'un « corps », on pose, sans s'en rendre compte, deux fois le terme d'âme : une première fois explicitement et consciemment, et une seconde fois implicitement et sans s'en apercevoir, en nommant le corps. Car un corps vivant est un corps animé, ou il n'est rien. Lorsque l'âme s'en va, il ne reste pas un corps, il reste un cadavre, c'est-à-dire un tas, une multiplicité pure d'éléments chimiques qui s'en vont et se dispersent. Le cadavre ne garde que provisoirement l'apparence du corps vivant : en fait il n'est pas un corps, il est une multiplicité, il est légion.

Le fameux problème des rapports entre « l'âme et le corps » est d'autant plus insoluble que, dans les termes où il est posé, il n'a aucun sens. En effet, le corps vivant et concret n'est pas autre chose que l'âme qui informe une matière et l'organise. Le rapport entre l'âme et le corps, c'est donc le rapport entre l'âme et elle-même. Le problème psychophysiologique a été faussé parce qu'on a cru voir deux choses là où il n'y en a qu'une.

Il résulte de cette analyse que nous sommes une totalité indivisible, qui est appelée à se personnaliser dans toutes ses puissances : sensibles autant que rationnelles. Si notre être, comme dit Heidegger, est dans notre *pouvoir-être*, dans notre *perpétuelle ouverture à l'être*, ce pouvoir-être, cette ouverture, qui appelle finalement un complément d'être infini, concerne nos viscères et notre sexe autant que notre pensée. L'esprit pénètre tout notre être comme un pouvoir de libération, comme une puissance d'amour. Il n'y a rien en nous qui ne doive devenir une personne – qu'on ne peut percevoir que du dedans – une dignité inviolable : pour nous comme pour les autres et dans les autres comme en nous.

Voir l'autre réellement, dans un amour qui s'interdit de le limiter, c'est se placer à la racine de son être, en vivant toutes ses possibilités de libération, en l'offrant comme il est appelé à s'offrir. Alors on découvre sans trouble sa beauté dans le rayonnement de la Présence infinie dont il est le sanctuaire, cette beauté qui ne peut se révéler qu'à un regard que le respect virginise.

«Être ou ne pas être», c'est toujours le même problème. La chasteté n'est rien de plus qu'un aspect de cette exigence d'être, d'être l'origine de nous-mêmes en nous libérant des déterminismes internes que nous subissons : tant que nous n'avons pas personnalisé leur dynamisme instinctif par le don radical de nous-mêmes.

Personne ne peut être dispensé de la chasteté ainsi comprise, s'il ne peut être dispensé d'être.

C'est pourquoi nous avons soigneusement évité d'opposer la chasteté du célibat à celle du mariage ou de déclarer la première supérieure à la seconde. Dans la perspective chrétienne, célibat consacré et mariage sont deux manières de répondre à la vocation de sainteté commune à tous les membres de l'Église. En soulignant les convenances du célibat ecclésiastique, nous n'avons pas prétendu établir pour autant que le sacerdoce est, de soi, incompatible avec le mariage. Au niveau de leurs suprêmes exigences, ils doivent aboutir à la même totale désappropriation.

C'est pourquoi on peut envisager une modification de la discipline occidentale, seule en question, en principe, sous ce rapport. Je présume qu'on y parviendra spontanément, sans renoncer aucunement aux valeurs que devait représenter un célibat pleinement vécu, en changeant le mode de recrutement du clergé séculier.

En n'admettant au sacerdoce que des hommes qui ont une profession laïque, quelle qu'elle soit, où ils ont donné la preuve de leur compétence et de leur valeur humaine – et qu'ils continueraient éventuellement à exercer –, on sera amené, je pense, à confier la présentation des candidats au sacerdoce aux laïcs témoins de leur vie et qui souhaiteraient les avoir pour pasteurs, qu'ils soient mariés ou non [1].

Cette désignation, fondée sur la confiance de la communauté où le futur prêtre aurait à exercer son ministère, offrirait les meilleures garanties pour la fécondité de son apostolat.

Cela n'empêcherait pas ni les célibataires, présentés de la même manière à l'évêque responsable comme candidats éventuels au sacerdoce, de faire de leur célibat une consécration définitive, ni les hommes mariés, ordonnés prêtres avec le consentement de leurs épouses, de se vouer, en plein accord avec elles, à toutes les exigences d'un amour qui va jusqu'au bout de lui-même.

Dès là qu'on admet le même idéal de sainteté pour tous les chrétiens, on ne risque pas de diminuer la dignité du sacerdoce en le confiant – dans les conditions que nous supposons – à des hommes mariés qui ont su respecter la dignité du mariage – lequel est aussi un sacrement – sans exclure, bien sûr, un célibat librement choisi, qui trouverait vraisemblablement son plus haut épanouissement dans une vie communautaire.

La Maison du Père ne comporte pas qu'une seule demeure.

---

1. Ce problème ne se pose évidemment pas pour les moines et religieux, voués de toute manière au célibat, qu'ils soient appelés ou non au sacerdoce.

9

Psychanalyse et sacrements

FREUD, qui est né en 1856 et qui est mort en 1939, a découvert l'inconscient et nous l'a fait découvrir. Il a inventé diverses techniques pour l'explorer méthodiquement dans toute son ampleur, dans toutes ses couches individuelles, collectives et cosmiques.

Il a forgé un vocabulaire qui est devenu indispensable à toute psychologie sérieuse. Il a construit sur son analyse géniale du psychisme humain, à partir d'une thérapeutique qui a été son véritable champ d'expériences, toute une philosophie de l'histoire et de la vie, souvent vulgarisée sans nuance, qui est discutable et discutée même parmi ses plus fervents disciples.

Il a pu croire tenir la clé de tous les phénomènes et de tous les mystères avec lesquels nous sommes confrontés. Mais s'il s'est fait illusion sur ce point, il suffit à sa gloire et à notre enrichissement de nous avoir mis en face de notre inconscient.

Pour nous rendre sensible la réalité de celui-ci, reprenons le *Journal d'une schizophrène,* dont l'héroïne s'appelle conventionnellement Renée.

Renée, à cinq ans, éprouve des troubles d'orientation. Les choses, les maisons, les rues, perdent tout lien, toute connexion. Elle ne sait plus comment se diriger. La sévérité de sa mère l'oblige à garder pour elle ces phénomènes étranges. À l'époque de l'adolescence ces troubles s'aggravent. Elle prend peur au milieu de la circulation où elle n'arrive pas à retrouver son chemin. Elle prie, sous divers prétextes, ses compagnes de l'accompagner jusqu'à sa maison. Étant l'aînée de cinq enfants, elle a toute la charge du ménage, avec la consigne de sacrifier tout ce qui est à elle en faveur de ses petites sœurs. Elle doit en outre faire face à ses travaux scolaires, en gardant toujours jalousement son douloureux secret.

La pauvreté de la famille l'oblige à interrompre ses études et à se mettre au travail. Son état s'aggrave. Elle reçoit, de son inconscient, le commandement de se brûler pour se détruire. Sur le point d'exécuter cette consigne, elle est surprise par son chef de bureau devant des plaques de métal chauffées à blanc. Son chef, pour dégager sa responsabilité, signale son cas au département de l'hygiène publique. Deux infirmiers sont envoyés chez elle pour l'interner d'office. Elle est, par bonheur, absente ce soir-là, se trouvant en visite chez une psychanalyste, Mme Séchehaye, qui va jouer un rôle essentiel dans sa vie.

Celle-ci, pour prévenir l'internement, la place dans une clinique ouverte. Mais la jeune fille exige une telle surveillance qu'on ne peut éviter la clinique psychiatrique. Après un essai désastreux, elle est enfin hospitalisée dans la maison qui offre les conditions les moins pénibles pour un séjour qui s'annonce de très longue durée. Renée, en effet, sombre dans une schizophrénie qui semble incurable. Elle est totalement murée en elle-même dans une absence qui exclut tout dialogue. Elle tente de se suicider. Elle refuse absolument de manger, ne faisant exception que pour les pommes, à condition qu'elle les puisse cueillir elle-même, *vivantes,* à l'arbre.

Elle s'enfuit un jour dans la montagne, d'où une paysanne avisée la ramène à sa clinique. Au bout de quelque temps, comme on lui a changé son infirmière, elle fait une seconde fugue qui, par bonheur, la conduit chez sa psychanalyste, dont elle touche aussitôt les seins, dans une sorte d'appel désespéré.

Mme Séchehaye, au courant de sa discrimination entre les pommes du marché auxquelles elle ne touche pas et les pommes vivantes qu'elle cueille à même l'arbre, entrevoit le rapport possible entre la pomme et le sein et pense immédiatement à un complexe de sevrage.

Elle étend Renée sur ses genoux, débite une pomme en petites tranches et les lui offre en disant : « Voici le lait que maman donne à sa petite Renée. »

Ces paroles agissent comme un miracle. L'inconscient de la jeune fille est atteint à travers le langage symbolique dont il s'est lui-même servi. La pomme signifie, la pomme est le sein. C'est une véritable résurrection, qui rend subitement à Renée un comportement normal. La psychanalyste croit la partie gagnée et traite la jeune fille en adulte, avec une certaine rigidité. Cette sévérité, bien intentionnée, replonge Renée au pire de sa maladie.

Mais le chemin de la guérison est trouvé. La psychanalyste remet la jeune fille symboliquement dans le sein maternel, sous l'aspect d'une chambre verte dont le jour est soigneusement tamisé. Elle continue à l'allaiter symboliquement avec la pomme accompagnée de la formule : « Voici le lait que maman donne à sa petite Renée. » Elle liquide ses complexes à l'égard de ses sœurs avec de petits personnages de papier. La guérison progresse. La présence de la psychanalyste devient moins urgente. Il suffit qu'elle laisse des tranches de pomme sur un papier où est écrite la formule rituelle : « Voici le lait... », pour que l'effet curatif se produise. Finalement Renée est guérie, écrit elle-même le *Journal d'une schizophrène* et exerce, à son tour, la profession de psychanalyste.

Quelle est l'origine de cette maladie qui a duré, sauf erreur, près de trente ans ? C'est un sevrage brutal à l'âge de *trois mois,* ordonné par un médecin qui avait diagnostiqué par erreur une gastrite, en mettant la petite au régime de l'eau.

Une grand-mère, intuitive, s'était aperçue qu'elle mourait de faim et l'avait prise chez elle, mais avait dû la rendre à l'âge de onze mois à sa mère, réduite, quelques années plus tard, à une extrême pauvreté par l'abandon de son mari, homme dénué de toute psychologie, qui s'amusait à faire peur à Renée, dont l'inconscient devait garder de ce sevrage précoce le sentiment d'avoir été rejetée par sa mère. Ce qui signifiait, pour elle, l'interdiction de vivre et l'obligation de se détruire.

Cette jeune fille, d'ailleurs remarquablement douée, en était donc restée, psychiquement, à l'âge de trois mois et devait, avec cela, jouer un rôle d'adolescente ou d'adulte qui ne trouvait aucune racine dans son âge psychique réel.

Avant de tirer des conclusions de ce cas particulièrement éclairant, nous en pouvons considérer un autre, plus proche des premières études de Freud sur l'hystérie.

Il s'agit d'une jeune fille, de très modeste origine, qui nourrissait l'ambition d'être institutrice, dans un milieu où cette profession devait lui assurer la plus haute considération. À la veille de ses examens finals, elle fut éborgnée accidentellement. Ce malheur l'excluait du concours et de la profession d'enseignante et représentait l'échec de toutes ses ambitions. À quelque temps de là, elle fut frappée d'une attaque de paralysie, jugée incurable par les plus hautes autorités médicales, qui fit d'elle une vedette des amphithéâtres de médecine. Au bout de sept ans, un jeune médecin, de qui je tiens ce récit, la rencontra dans une maison de convalescence où elle passait l'été, en compagnie de quelques vieilles dames qui s'apitoyaient discrètement sur son sort.

Le jeune médecin, frais émoulu de la faculté, lui consacra tout son temps et se convainquit, après l'avoir bien écoutée, que sa paralysie était d'origine psychique, c'est-à-dire qu'elle transformait inconsciemment en symptôme somatique, corporel, son échec professionnel pour devenir une vedette de la maladie, exhibée devant les professeurs et les étudiants, comme elle avait rêvé d'être la vedette de son village en devenant Mademoiselle l'Institutrice. Il le lui dit un jour brutalement, en l'invitant à se promener le lendemain avec lui et en l'adjurant de ne pas gâcher sa vie en persistant dans son rôle de malade, pour la considération déraisonnable des quelques vieilles dames qui l'entouraient. Il parvint à la convaincre et, le lendemain, guérie, elle l'accompagnait dans sa promenade.

Ces deux cas nous rendent clairement sensible la formidable énergie qui, des souterrains de la psyché, vient au jour, avec une charge affective d'autant plus grande qu'elle se manifeste sous un aspect plus irrationnel. Le livre si émouvant du docteur Pierre Bour, *Le Psychodrame et la vie*, illustre, par de nombreux exemples, le cheminement de cet « irrationnel affectif » et l'abréaction curative qu'il éprouve très souvent dans le psychodrame.

Les êtres dits normaux – que nous croyons être – sont eux aussi généralement, sous des dehors moins voyants que les psychopathes, gouvernés par leur inconscient. Cela veut dire que nous sommes très rarement conduits, dans notre vie propre, par la raison, dont tout savant se réclame à bon droit à l'intérieur de sa discipline, dans la mesure où il applique la méthode objective qui fonde la science en faisant systématiquement abstraction de toute option personnelle. Hors ce cas privilégié, dès que nous sommes – individuellement ou collectivement – concernés, nous obéissons presque toujours à des options passionnelles issues de notre inconscient, dont la puissance d'impact détermine notre âge psychique. Les motivations rationnelles viennent ensuite pour justifier devant le « conscient » des choix dont il ne discerne pas l'origine. La raison, séduite par nos complicités avec ce sentiment océanique d'illimité et d'union avec le grand « Tout », comme dit Freud, peut tout démontrer par une sorte d'automatisme verbal qui ne recule pas devant l'absurde, tant que la raison elle-même n'est pas purifiée par la lumière de l'être qui jaillit des racines d'une authentique personnalité.

Le rationnel en nous, le « moi » *conscient,* en réalité, n'est, la plupart du temps, qu'un compromis instable entre les impulsions instinctives de notre inconscient et les exigences du milieu social où nous jouons notre personnage public : en style freudien, un compromis entre le « ça » et le « surmoi ».

Cela veut dire que nous sommes habituellement mus par notre inconscient, auquel nous sommes contraints de donner un visage socialement acceptable par des raisons, inventées après coup, qui doivent légitimer notre attitude à nos yeux et aux yeux des autres.

On peut exprimer, finalement, le volume de l'inconscient – qui domine le « moi » collectif autant sinon plus encore que le « moi » individuel – par cette brève formule : nous sommes nous-mêmes, sous son impulsion, la bombe atomique, puisque c'est nous qui l'avons conçue, réalisée et stockée, en accroissant avec une progression géométrique, dans ses types successifs, son pouvoir de destruction.

Le cas de Renée nous fournit, en outre, une indication d'une extrême importance : à savoir que l'inconscient parle et n'est accessible qu'à un langage symbolique, concret, représenté par un élément sensible, qui participe à son dynamisme, sans s'imposer à lui du dehors.

Il n'y a aucun doute, aussi bien, que toute invitation adressée à Renée à se comporter comme un être raisonnable n'eût eu d'autre effet que de la murer plus sauvagement dans son mutisme. Il fallait que son inconscient se sentît radicalement *compris* et *accepté*, à travers cette souffrance atroce dont le sens lui échappait totalement et qui ne s'éclaira qu'à la faveur de l'identification devinée et mimée par la psychanaliste entre la pomme et le sein.

Opérant avec des images, l'inconscient, on le voit, à sa manière, est artiste, et Freud a pu dire, comme Marcuse nous le rappelle : « La psychothérapie est le dialogue d'un médecin patient avec un inconscient génial. » Ce mot est vrai, non dans le sens qu'il suffit de débonder l'inconscient pour obtenir une œuvre géniale, comme le surréalisme le suggérait, mais dans le sens que l'inconscient s'épanche librement dans l'imagination, dont procède toute œuvre d'art : à condition qu'une certaine ingénuité, une certaine transparence du sujet, tire des images, dans un contexte harmonieusement ordonné, la suggestion d'une présence infinie.

Le livre du docteur Bour est plein d'allusions à ces correspondances entre une matière médiatrice, comme un bloc de glaise humide, et les identifications symboliques que les schizophrènes, surtout, obtiennent par leurs manipulations, jusqu'à émerger de leur état dans une prise de conscience induite par un contact sensible, dont Vittoz, à sa manière, avait déjà pressenti l'efficacité curative. Ces résultats sont moins surprenants qu'ils ne le paraissent. Jung a montré, en effet, l'immense valeur cognitive de l'imagination, unie de « façon indiscernable » à toutes les autres fonctions mentales. Pour lui, l'imagination est, avant tout, « l'activité créatrice d'où proviennent les réponses à tous les problèmes que nous pouvons résoudre », elle est « la mère de toutes les possibilités, dans laquelle monde intérieur et monde extérieur forment une unité vivante comme tous les contrastes psychologiques ».

L'imagination, ajoute-t-il, a toujours « jeté une passerelle entre les exigences inconciliables du sujet et de l'objet, entre l'extraversion et l'introversion, tournée, comme elle est, vers le passé d'un âge d'or mais aussi vers l'avenir, vers des possibilités encore non réalisables[1] ».

Tout le domaine de l'art est dominé par cette fécondité créatrice de l'imagination, enracinée dans et alimentée par l'inconscient, mais aussi tout le domaine de l'affectivité emprunte, à celui-ci à travers celle-là, son plus bienfaisant dynamisme, à condition de rencontrer le langage ou le geste symbolique qui a seul prise sur l'inconscient.

Que de crises indiciblement douloureuses sont inexplicables et insolubles sur le plan rationnel, parce qu'elles émanent d'une affectivité méconnue ou piétinée qu'un geste de tendresse

---

1. Marcuse, *Éros et civilisation*, p. 141-142.

pourrait seul atteindre et apaiser. Que de tentations aussi trouvent dans ces soubassements psychiques les matériaux de leurs phantasmes.

Nous ne saurions trop nous convaincre, en tout cas, que personne ne vit de raison pure et que toutes nos options s'enracinent dans cette affectivité qui peut être *irrationnelle* ou *suprarationnelle,* selon qu'elle est éclairée ou non par cette lumière de fond qui est le rayonnement d'une personnalité authentique.

Nous le vérifions souvent, aujourd'hui, dans les objections faites à la morale et à la croyance traditionnelles. Ces objections prennent forcément, dans le discours, une forme rationnelle, mais les plus profondes résistances viennent de l'inconscient qui n'a pu assimiler un message présenté dans un langage incapable de l'émouvoir : d'où résulte en l'objecteur l'impression de quelque chose d'irréel, qui ne présente pour lui aucun intérêt.

À qui de nous, en revanche, n'est-il pas arrivé de changer d'humeur, comme on dit, en entendant soudain une musique qui pacifiait notre inconscient. Platon remarquait déjà, dans le *Timée,* cette influence ordonnatrice de la musique qui harmonise nos rythmes physiologiques et psychologiques les plus secrets en leur conférant un équilibre silencieux, comme Aristote soulignait la *catharsis* (la purification) que le théâtre peut accomplir en nous par l'incantation mystérieuse de la beauté, en qui rayonne une présence[1] capable de nous combler.

Édouard Le Roy distinguait, à bon droit, l'inconscient, le conscient et le supraconscient, que l'on peut identifier avec l'univers interpersonnel dont nous avons si souvent parlé. On peut dire, en reprenant sa classification des trois étages mentaux, que l'inconscient ne peut être atteint et transformé que par le supraconscient, à condition que celui-ci trouve le langage symbolique approprié qui est seul capable de toucher celui-là.

---

1. Présence qui peut être suggérée par son absence.

La plus haute spiritualité est précisément celle qui atteint jusqu'aux racines de l'inconscient et qui devient, par là même, capable de le transformer.

Isabelle Rivière, la femme de Jacques Rivière et la sœur d'Alain-Fournier, a raconté comment, entraînée par des amis chez les Bénédictines de la rue Monsieur, à Paris, elle avait été saisie jusqu'au fond de l'âme par la liturgie à laquelle elle avait participé. Elle n'avait connu jusqu'alors que les messes mondaines des grands mariages et des grands enterrements, où les familles se donnaient en spectacle, en exhibant leur richesse dans un luxe qui soulignait leur rang social. Ici, au contraire, dans cette chapelle monastique, une centaine de religieuses vivaient le silence que leur chant rendait sensible comme une Présence réelle. Ici, il se passait quelque chose d'ineffable, ici, elle rencontrait Quelqu'un qui l'attendait au plus intime d'elle-même. Cette expérience fut le prélude de sa conversion, comme elle devait conduire au cloître ses deux enfants qui l'accompagnaient fidèlement dans ce lieu saint, où Mauriac, Massignon, Charles Du Bos, Gabriel Marcel, Maurice Brillant, entre autres, après Huysmans, venaient chercher, avec un certain nombre d'artistes, un recueillement que l'on ne trouvait nulle part ailleurs.

Et nous voilà confrontés, par le sommet, à travers le mystère eucharistique, avec cette échelle sacramentelle qui, du baptême à l'onction des malades, scande les étapes de notre vie, en vue d'une croissance spirituelle, symbolisée et opérée par les signes sensibles soit des éléments matériels, comme l'eau, l'huile, le pain, le vin, soit des gestes humains, comme l'imposition des mains et les paroles et les silences, qui les commentent.

J'ai été moi-même très frappé, au moment de mon adolescence, dans l'abbaye bénédictine où j'ai fait une partie de mes études, par les correspondances qu'établissait la liturgie, célébrée avec une intériorité incomparable, entre le monde sensible et la vie de l'esprit. Le spirituel s'incarnait, la matière se spiritualisait, l'unité du monde se recomposait sous mon regard émerveillé. C'était à la fois la plus haute initiation au caractère sacré de l'univers et à une morale de transfiguration, qui délivre de la convoitise possessive par un amour infini de toute réalité. Je vivais sans le savoir le vers de Patmore : *« All realities will sing, nothing else will »* (Toute réalité chantera, rien d'autre ne le fera), et le sonnet des correspondances de Baudelaire, où *« les parfums, les couleurs et les sons se répondent »* à travers une action qui culminait silencieusement dans une rencontre avec la présence du Christ sous le voile des espèces qui la représentent et la communiquent.

Je ne pouvais et ne puis encore imaginer une actualisation plus sobre et plus pure du sacrifice rédempteur que cette célébration non sanglante où le repas de la fraternité humaine est, en même temps, l'expression et la communication de la Présence infinie qui est le lien transcendant de cette universelle fraternité, comme l'indiquait déjà notre entretien sur le dogme.

À propos du baptême, qui nous ouvre au dynamisme sacramentel, saint Paul a développé le symbolisme de l'ensevelissement du vieil homme et du surgissement de l'homme nouveau dans le sillage du Christ ressuscité. L'importance qu'il attache à cette similitude montre que, le grand Apôtre pour n'être pas un psychanaliste, connaissait pourtant, d'expérience, la portée du *symbole,* qui relie, comme dit le Dr Bour, le manifeste – le sensible – à l'ineffable.

On peut rappeler, dans ce contexte, que Jung a reconnu l'effet cathartique du sacrement de pénitence, d'où résultait qu'il avait peu de patients catholiques, la confession servant d'issue aux débats qu'il s'appliquait à résoudre chez ses clients.

Sans prétendre réduire à cela son efficacité, il importe de souligner que tout sacrement, par la médiation de signes matériels, veut atteindre, pour le purifier et l'ordonner, *l'inconscient* qui est l'immense réservoir de nos énergies psychiques et notre lien le plus vital avec l'univers physique.

Mais cet effet ne peut être obtenu qu'à une condition *sine qua non,* c'est que la liturgie et tout le cérémonial qui enveloppe les sacrements soient réellement vécus et d'abord par les célébrants.

J'ai souvent participé à la liturgie anglicane de Saint Paul et de Westminster Abbey, à Londres, à la liturgie russe de Jérusalem ou de la rue Daru à Paris ou à la liturgie gréco-arabe melkite en Égypte et j'en ai toujours été très profondément ému. La musique en était parfaite et le cérémonial se déroulait, sans aucun souci du temps, avec la possibilité de donner à chaque geste toute sa portée vivante, tout son dynamisme spirituel. Il n'était pas nécessaire de comprendre les mots pour entrer dans l'action, pour percevoir le mystère, pour deviner la Présence qu'il s'agissait de rencontrer.

C'est peut-être le point faible de la réforme liturgique, qui a modifié avec tant de hâte le style des églises et la structure de la messe latine, d'avoir voulu trop rationaliser la prière ecclésiale, en accordant la primauté à la présentation, d'ailleurs souhaitable, des textes en langue vulgaire et en réduisant presque à rien la part du symbole – en contraste saisissant avec la beauté gestuelle des rites orientaux – comme s'il s'agissait principalement d'une instruction et non d'un mystère qui engage le tout de l'être et qui doit donc d'abord convaincre et assumer l'inconscient. Il en résulte souvent une sorte de récitatif unidimensionnel qui s'étire en un discours continu, où les mots réduits à eux-mêmes nous exhortent sans nous transformer, j'entends sans provoquer l'accord de ces profondeurs subliminales (sous le seuil de la conscience) qui répondent à un autre langage. D'où surgissent tant d'initiatives anarchiques qui cherchent à combler un vide mal identifié.

On peut regretter pour les mêmes raisons que tant d'églises catholiques de rite occidental affectent aujourd'hui une nudité presbytérienne, au point qu'on a quelquefois de la peine à y découvrir un tabernacle, réduit à une petite boîte qui resterait inaperçue sans la veilleuse qui la signale : comme si elles n'étaient plus habitées par la Présence qui faisait vivre la pierre des cathédrales.

Des changements, sans aucun doute, s'imposaient, particulièrement dans les prières qui accompagnent l'administration des sacrements, comme les exorcismes du baptême, qui ne pouvaient que heurter, dans leur formulation traditionnelle, une mère tout heureuse d'avoir mis au monde un petit enfant.

Mais tous les changements souhaitables se seraient, vraisemblablement, plus harmonieusement accomplis avec la vision très nette que le langage sacramentel va beaucoup plus loin qu'un discours cartésien et qu'il vise précisément à *évangéliser l'inconscient* dans la lumière du mystère divin, que le chant grégorien et d'innombrables chefs-d'œuvre polyphoniques – en voie de disparition – nous rendaient si profondément sensible.

Rien n'est plus important et plus difficile que de faire pénétrer dans tout notre être la lumière d'une Réalité invisible, qu'il s'agit d'éprouver comme la Vie de notre vie.

Il ne semble pas que l'ordre liturgique récemment instauré ait atteint cette plénitude miraculeuse. On y respire difficilement la présence d'un mystère infini et le lien silencieux qu'elle peut seule établir entre tous les participants, en les touchant en leur centre le plus intime à travers l'harmonisation de leur inconscient.

Il est encore temps, sans doute, de repenser ce problème non résolu.

Notre propos dans les remarques qui précèdent est simplement de rappeler l'importance de cet inconscient dans notre équilibre spirituel et de montrer, malgré le caractère très sommaire de cet exposé, que la psychanalyse peut, d'une certaine manière, nous disposer à une intelligence plus profonde du sacrement, à condition qu'elle s'accompagne d'une psychosynthèse, car, comme le montre admirablement le docteur Bour, s'il peut être nécessaire de décomposer notre appareil psychique, c'est en vue de le recomposer dans un paisible équilibre

et non d'en laisser les fragments dispersés comme des matériaux de démolition.

Nous nous prévalons tous, plus ou moins, d'un rationalisme
dont personne ne vit, qui triomphe à bon droit, il est vrai, dans la
connaissance du monde-objet, mais qui ne peut qu'appauvrir,
en les coupant de leurs racines, les relations interpersonnelles.

La prise de conscience des richesses immenses de l'inconscient qui nourrit l'imagination, mère de l'art, le caractère média-
teur des plus humbles réalités – la terre, l'eau, l'air, le feu – dans
une symbolique qui joint l'homme à l'univers, toute cette redé-
couverte de notre dynamisme le plus profond, que Bachelard a
si poétiquement exploré, ne peut que nous engager à scruter,
avec plus de respect et plus d'amour, le symbolisme sacramentel et à en reconnaître les liens avec les couches les plus
secrètes de notre psychisme.

La folie, écrit le docteur Bour, «provient pour une bonne
part d'une inexploitation de nos forces vives. Notre vie est un
secret. Le drame est dans le cœur des gens.»

Toute l'éducation des enfants, tous nos rapports avec autrui
devraient donc s'efforcer d'atteindre l'inconscient, en découvrant éventuellement les symboles appropriés pour le toucher,
après avoir fait le vide en nous pour l'accueillir: en désamorçant
autant que possible ses déterminismes par ce don de la personne qui peut seul atteindre et susciter la personne.

On ne s'étonnera pas, si l'on ne réduit pas l'être humain à ses
superficielles prétentions rationnelles, que le Christ, qui sait ce
qu'il y a dans l'homme, ait voulu nous communiquer sa vie à
travers la symbolique sacramentelle, pour nous saisir au plus
profond de nous-mêmes: jusqu'à ces racines inconscientes qui
ne peuvent respirer que dans Sa lumière, en témoignant, par là
même, dans Sa suprême fraternité avec nous, que Dieu est,
comme dit saint François de Sales, «le Dieu du cœur humain».

10

Le scandale de la misère

L'ARCHEVÊQUE de Recife, Mgr Helder Camara, disait à Paris, le 25 avril 1968 : « Aujourd'hui 85 % (des hommes) vivent dans la misère pour rendre possible le superconfort de 15 %, demain de 10 %. »

Comment en est-on arrivé là ? Le marxisme-léninisme répond : par l'exploitation de l'homme par l'homme. Cette explication demande peut-être à être nuancée du fait d'une part que les exploiteurs ne sont pas nécessairement conscients de l'être et que, d'autre part, une quantité d'intermédiaires les empêchent souvent d'être eux-mêmes en contact direct avec les exploités.

Un homme par exemple achète à un prix dérisoire des terrains vagues, totalement improductifs, dans une région déserte où il n'y a pas une maison. Au bout de dix ans la ville s'étend de ce côté et des entreprises de construction lui paient cinq cents ou mille fois le prix qu'il a versé pour acquérir le sol où vont s'élever des immeubles de luxe, qui ne changeront évidemment rien à la situation misérable des bidonvilles. Le vendeur se félicite, en toute tranquillité de conscience, d'avoir fait une bonne affaire.

Autre exemple, un sondage révèle la présence d'une nappe de pétrole considérable à une certaine distance de la surface du sol, dans un pays sud-américain. Une banque anglaise offre une avance de fonds pour l'exploitation du site. Tout ce qu'elle attend de ce prêt, c'est qu'il lui soit remboursé avec les intérêts convenus de manière à satisfaire les clients anglais qu'elle a engagés dans cette affaire. Ceux-ci, en touchant leurs revenus, peuvent ignorer complètement le traitement réservé à la main-d'œuvre embauchée sur place par des agents qui s'assurent des bénéfices d'autant plus grands que les salaires sont plus bas.

Dans l'économie actuelle, la responsabilité, on le voit, peut se diluer d'autant plus que les intermédiaires sont plus nombreux et plus anonymes. Un honnête travailleur, qui confie son épargne à une banque, peut devenir complice, sans le savoir, d'une affaire qui fera des victimes à l'autre bout du monde.

Mais quelle est l'origine du déséquilibre d'où résulte, finalement, l'exploitation de l'homme par l'homme ? C'est sans doute la présence d'une pénurie – qui peut être purement technique – d'un besoin, en face d'une abondance qui peut seule satisfaire ce besoin. La pénurie n'a pas le choix. Elle ne peut que recourir à l'abondance en acceptant ses conditions.

Mais d'où provient l'abondance qui peut imposer à la pénurie ses conditions ?

De la chance, comme dans le cas de l'homme qui a acheté des terrains vagues, alors qu'aucun signe ne permettait de prévoir l'extension de la ville de ce côté, ou comme dans le cas de la nappe de pétrole qui met soudain en mouvement des capitaux étrangers.

Des inventions techniques, qui modifient les conditions du travail, comme celles qui obligèrent des artisans indépendants à se faire ouvriers d'usine, dans l'impossibilité où ils étaient de concurrencer, par un travail fait à la main, une production infiniment plus rapide et moins coûteuse obtenue par la machine.

De la persévérance, du courage et du génie de certains individus qui ont accepté les tâches les plus ingrates pour réaliser des économies qu'ils ont su faire fructifier. On cite des milliardaires américains qui ont commencé par les plus obscurs petits métiers et qui ne doivent leur succès qu'à une volonté farouche de réussir.

L'abondance et la pénurie sont-elles liées, n'existent-elles qu'en raison directement proportionnelle l'une de l'autre, et l'abondance ne peut-elle grandir sans que s'accroisse la pénurie? Il est certain que plus une affaire grandit, plus elle touche d'hommes qui dépendent de son expansion. Autrement dit, plus elle devient alors un pouvoir et plus elle risque en conséquence d'abuser de ce pouvoir, si elle ne vise qu'à un rendement toujours supérieur en vue d'un gain toujours accru. Ce danger est naturellement d'autant plus grand que l'organisation syndicale ouvrière est moins capable de s'y opposer.

Mais on sait que même là où les syndicats représentent eux-mêmes un pouvoir, les grèves les mieux motivées et les plus puissamment organisées ne peuvent durer éternellement. Faute de ressources, ou par lassitude, le travail reprend et une certaine abondance continue presque toujours à faire face à une certaine pénurie.

Là où le syndicalisme est inexistant ou impuissant, là où il est suspect et traqué par une police au service des privilégiés, la situation aboutit à l'épouvantable pénurie dénoncée par Mgr Helder Camara.

Pour prévenir une telle pénurie, y a-t-il une autre solution que celle du communisme, qui remet à la collectivité les moyens de la production industrialisée et fait de chaque individu un travailleur au rang que lui assigne la collectivité, en assurant théoriquement à chacun une part égale à l'abondance commune, qu'elle soit petite ou grande?

L'inconvénient du système – acceptable en soi, sur le plan économique, s'il était librement consenti et non imposé par une petite minorité – est qu'il exige un *appareil* qui impose des plans, qui exerce une surveillance impitoyable sur le travail de chacun et qui risque à tout moment de constituer une nouvelle hiérarchie, une nouvelle classe privilégiée, comme, il y a déjà longtemps, Djilas, au prix de sept ans de prison, a eu le courage de le dire tout haut en Yougoslavie.

Mais qui a présenté jusqu'ici une meilleure solution? Il semble qu'elle ne pourrait résulter que d'une nouvelle concep-

JE EST UN AUTRE

tion du travail. On peut l'exprimer de la manière la plus simple : le travail a-t-il pour but de produire des choses ou de produire des hommes ?

Il est évident que personne n'échappe au besoin de boire et de manger, de se vêtir et de s'abriter. C'est là la première pénurie, dont dérivent toutes les autres. Le travail est la seule manière d'y parer. Mais le travail peut la rendre écrasante, s'il n'assure que le minimum vital le plus élémentaire, ou il peut l'alléger, voire en faire disparaître tout le poids, s'il crée une distance suffisante entre le besoin et sa satisfaction. L'homme qui jouit d'une aisance assez large pour n'avoir plus à penser à ses besoins, parce qu'ils sont tous efficacement et sûrement satisfaits, est délivré de la pénurie. Le monde physique ne l'écrase plus et il peut l'aimer en s'y mouvant librement.

Le travail ne se fonde donc pas nécessairement sur l'exploitation de la pénurie, il a, au contraire, pour mission essentielle d'en affranchir tout homme qui ne refuse pas de travailler.

La première question qui se pose à une entreprise, dans cette perspective, est donc bien celle de produire des hommes et non des choses. Quel salaire pourra être donné qui couvre adéquatement tous les besoins de chaque travailleur avec ses charges de famille, ses frais de maladie et ceux des siens, et lui assure finalement une retraite honorable, quand viendra pour lui l'âge de céder la place à des forces plus jeunes : tel est le problème fondamental, si le travail doit prendre un visage humain, en délivrant l'homme de la pénurie au lieu de l'exploiter.

Cette première exigence en entraîne bien d'autres, que nous comprendrons mieux si nous arrivons à fonder la conception du travail que nous défendons sur une juste compréhension des droits de l'homme.

Ces droits ont été définis solennellement à l'époque de la Révolution française, par l'Assemblée constituante, le 26 août 1789 et présentés, dans l'iconographie du temps, comme les nouvelles tables dé la Loi. L'Organisation des Nations Unies en a donné une nouvelle formulation le 10 décembre 1948.

« Les hommes naissent et demeurent libres et égaux en droits ; les distinctions sociales ne peuvent être fondées que sur l'utilité commune », disait le premier article de la déclaration de 1789.

Le premier article de la déclaration de l'ONU est plus explicite et plus exigeant : « Tous les êtres humains naissent libres et égaux en dignité et en droits. Ils sont doués de raison et de conscience et doivent agir les uns envers les autres dans un esprit de fraternité. »

Quand on lit, dans *Le Capital* de Marx, les enquêtes sur la condition ouvrière en Angleterre, sous le règne de la pieuse reine Victoria : 16 heures de travail par jour, au fond des mines, même pour de jeunes enfants, avec des salaires de famine qui obligent toute une famille, généralement nombreuse, à vivre dans une même chambre dans une abominable promiscuité, on mesure l'écart entre une égalité inscrite sur le papier et un véritable esclavage existant dans la pratique.

L'erreur des déclarations, que ce soit celle de l'Assemblée constituante, ou celle de l'ONU, c'est de confondre une possibilité avec une réalité. L'homme ne naît pas libre, il ne naît pas en possession d'une dignité inviolable. Il est appelé, s'il veut se réaliser pleinement, à conquérir une liberté difficile, une dignité qui exige la plus courageuse discipline. Le véritable sujet du droit, aussi bien, est la *personne,* créatrice d'une valeur intérieure à elle-même qui constitue un bien universel, un bien commun, que toute l'humanité est intéressée à protéger et à défendre. Le véritable sujet du droit n'est donc pas l'homme assujetti à sa biologie, à son animalité, à tous ses déterminismes internes. Ces déclarations visent en réalité l'homme que nous devons devenir et non celui que nous sommes. En admettant, à tort, comme déjà réalisé ce qui n'est encore qu'un appel, le plus souvent confus et indistinct, elles demeurent nécessairement irréelles, sans aucun fondement dans la vie.

Les ouvriers anglais, dans les conditions qui leur étaient imposées au moment où Marx menait son enquête, écrasés et corrompus par la misère, ne pouvaient entendre cet appel à une promotion humaine qui, de toute manière, n'avait pour eux aucun sens concret. Les patrons, de leur côté, qui n'avaient pas conscience de leurs servitudes internes, jouissaient sans scrupules de leurs privilèges, en étant parfaitement incapables de reconnaître dans leurs ouvriers une dignité qu'ils n'avaient pas le sentiment de devoir conquérir pour eux-mêmes. Ils étaient tranquillement installés dans leurs droits de propriété, garantis par la loi qui légitimait *objectivement* leurs rapports avec une main-d'œuvre qui n'existait à leurs yeux qu'au titre d'instrument de production. Leur vie privée ne regardait qu'eux-mêmes et n'avait aucune relation avec l'exercice intangible de leurs droits.

C'est précisément en quoi ils se trompaient. Le droit de propriété – que l'Assemblée constituante déclarait inviolable et sacré –, comme tous les droits, concerne la personne et sa dignité et non un titre de possession immuable attaché à une situation objective, même consacrée par la loi.

C'est ce que j'ai compris le jour où une femme pauvre, qui se tuait de travaux à l'aiguille, m'a dit : «Je voudrais bien méditer et prier, mais comment voulez-vous que je fixe mon esprit sur une pensée qui l'éclaire, quand j'ai cinq enfants à nourrir et rien dans mes marmites. La faim de mes enfants me crève les entrailles et tue en moi toute vie de l'esprit.»

Que réclamait-elle ? Simplement *un espace de sécurité* qui lui aurait permis de faire de sa vie *un espace de générosité*.

Voilà exactement ce que signifie le droit de propriété, et n'importe quel droit que l'on puisse revendiquer pour un être humain : un espace de sécurité qui permet à chacun, libéré des nécessités externes, de se libérer de ses servitudes internes et de faire de lui-même un espace de générosité.

Nous l'avons dit, mille fois, nous avons à nous faire hommes, en évacuant le «moi» préfabriqué qui nous rive à nos options passionnelles: par une désappropriation radicale qui nous rende libres de nous-mêmes pour être totalement disponibles à l'égard d'une Valeur infinie, qui fonde notre inviolable dignité. Le droit de propriété, comme tous les droits, a pour seule fin de rendre possible cette libération intérieure qui fait de nous des hommes. Il est donc paradoxalement fondé sur cette radicale *désappropriation* en laquelle s'actualise notre liberté, sur *la pauvreté selon l'esprit* qui peut seule faire de nous un espace de générosité. Il doit nous affranchir de la pénurie extérieure qui nous écrase, en établissant entre nous et le monde physique des rapports d'amitié et des relations contemplatives, pour que nous puissions précisément faire de nous-mêmes, en nous vidant de notre «moi» possessif, un espace d'amour.

Compris de cette manière le droit de propriété est, en effet, inviolable et sacré, d'ailleurs égal pour *tous,* puisqu'il a le même fondement en tous, étant uniquement ordonné en chacun à cette promotion infinie d'où naît la personne.

On voit immédiatement qu'une telle conception exclut absolument toute légitimation d'un accaparement des richesses du monde entre les mains d'un petit nombre, qui aboutit pratiquement à l'organisation systématique de la pénurie pour le grand nombre. Il est simplement monstrueux, en effet, que je prétende devenir un espace de générosité – auquel toute propriété légitime est ordonnée – en empêchant les autres d'en faire autant par un accaparement qui les prive de toute sécurité.

C'est ce que saint Thomas d'Aquin nous aidera à mieux saisir dans les réflexions qu'il fait sur le vol dans la question 66 de la *secunda secundæ.* Saint Thomas admet qu'à l'origine de l'histoire tous les biens qu'offre le monde sont propriété *commune.* Comment est-on passé de là à la propriété individuelle, dite privée? C'est, dit saint Thomas, en vue d'une meilleure administration de ces biens, au profit de tous, car l'indivision entraîne l'incurie, chacun rejetant sur l'autre une responsabilité qui n'incombe particulièrement à personne. Mais qu'arrivera-t-il si un homme se trouve, du fait de l'institution de cette propriété privée, réduit à une telle extrémité que sa vie soit en péril et que d'ailleurs personne ne vienne à son secours? A-t-il le droit, sans devenir un voleur, de s'approprier ce qui peut seul l'arracher à ce péril? Et il répond: *oui* il en a le droit. Pourquoi? Parce qu'alors il ne fait que prendre ce qui devient *sien.* Ce petit mot est plus impressionnant qu'une fusée spatiale. Il revient à dire, en effet, que l'ordre primitif – celui de la propriété commune – n'est pas aboli par le passage à la propriété privée et qu'il doit revivre quand le régime de la propriété privée met une vie humaine en péril de mort.

Saint Thomas a pris d'ailleurs soin de s'expliquer sur ce régime de la propriété privée, qui doit assurer une meilleure administration des biens originairement communs. Il distingue, en effet, dans ce régime, le droit d'*administration,* c'est-à-dire le droit de gérer des biens, d'être responsable de leur circulation, et le droit d'*usage* qui implique leur emploi au profit personnel du propriétaire. Et il déclare expressément que ce droit d'usage est limité par les nécessités raisonnablement comprises du propriétaire et que le surplus est dû en droit naturel aux pauvres, le propriétaire n'ayant à l'égard de ce surplus qu'un droit de répartition dont sa conscience reste l'arbitre. Saint Thomas s'oppose donc aussi nettement que possible à toute justification d'un accaparement qui entraîne la surabondance des uns au prix de la pénurie des autres.

Ce qui demeure cependant le plus précieux dans ces vues de saint Thomas, c'est le petit mot SIEN, qui autorise n'importe qui, en cas d'extrême nécessité, où il ne peut compter sur le secours de personne, à prendre justement ce qui est sien. Car ce petit mot signifie que tous les êtres humains, *pour se faire hommes,* ont un droit radicalement égal à toutes les richesses de la terre, avec cette conséquence qu'*aucune* propriété ne peut jamais constituer un bien intouchable et inaliénable, mais qu'elle doit être mise en question et révisée toutes les fois que l'appropriation privée des biens – qui devait en assurer une meilleure administration au profit de tous – suscite, fût-ce en un seul homme, une pénurie qui l'empêche pratiquement de se faire homme.

Ce qui est à nous, en d'autres termes, n'étant à nous que pour nous permettre de nous *donner* pleinement à la Valeur infinie dont toute conscience humaine est dépositaire, appartient à cette Valeur dans les autres et pour les autres autant qu'en nous et pour nous. Le droit de propriété, dans cette perspective, est donc par essence *altruiste,* car il vise uniquement à nous rendre disponibles à l'égard de cette Valeur qui nous est confiée dans les autres autant qu'en nous. Ce qui dépasse mes besoins légitimes, ce qui n'est pas indispensable à l'exercice de mes responsabilités familiales et professionnelles, appartient donc de plein droit aux autres, dans la mesure où ils sont – sans faute de leur part – menacés de pénurie et, en leur donnant ce qui ne m'est pas vraiment nécessaire, je ne fais que leur rendre *ce qui est à eux.*

Des lois positives peuvent bien, appuyées sur une force de police au service d'une petite minorité, maintenir et défendre des privilèges abusifs ou criminels, de telles lois sont contraires au droit et ne peuvent aucunement donner une bonne conscience à ceux qui s'en réclament pour justifier leurs accaparements.

Cela dit, revenons à cette affirmation – qui apparaît maintenant, je l'espère, dans une plus vive lumière – que le travail doit produire des hommes avant de produire des choses ou plus exactement doit viser *essentiellement* à une promotion humaine à travers la production des choses.

Cette promotion humaine n'est pas seulement une question de salaire largement suffisant. L'ouvrier, l'employé n'est pas une simple machine, un rouage anonyme annexé à une affaire qui n'est pas son affaire. Il a le droit de savoir pourquoi et pour qui il travaille et s'il n'est pas complice d'une entreprise qui sert, quelque part, à des fins d'oppression ou d'extermination.

Comme, d'autre part, aucun bénéfice ne peut être encore réalisé sans son concours, il est normal qu'il soit tenu au courant des bénéfices de l'entreprise qui l'emploie – et aussi, naturellement, des pertes éventuelles – et de l'usage que l'on fait de ces bénéfices et qu'il en reçoive une part compatible avec la bonne marche de l'affaire. Il faut, en un mot, que l'ouvrier ou l'employé puisse être convaincu que l'affaire, dont il est un collaborateur, est *son affaire,* qu'il s'en sente personnellement responsable et qu'il participe effectivement à sa gestion.

Que l'on n'objecte pas que c'est le propriétaire ou les commanditaires qui fournissent les capitaux, les machines, les locaux et qui amènent les commandes qui alimentent le travail. Outre qu'un capital ne s'accroît que par le travail et demeure stérile dans un bas de laine, nous avons vu qu'il est grevé, par essence, de cette dette envers autrui qui affecte toute propriété, lorsqu'elle dépasse les besoins légitimes du propriétaire. Fournir du travail en créant une usine est une manière de *restitution,* qui n'assure aucun avantage au créateur de l'usine sur ses employés, si le travail est d'abord au service de leur promotion humaine. Rien ne peut mieux favoriser cette promotion que de faire de tous les travailleurs des cogérants, des actionnaires et des copropriétaires qui élisent leurs administrateurs et leurs chefs à tous les degrés et qui trouvent, dans l'usine elle-même, l'occasion de parfaire leurs connaissances et leurs aptitudes techniques – par des cours appropriés, inscrits dans l'horaire du travail – pour accéder, avec les suffrages de leurs camarades, s'ils en ont le goût et le talent, à de plus hautes responsabilités.

J'entrevois donc, comme la seule solution non communiste, la constitution de petites républiques professionnelles, d'usines pas trop vastes, indépendantes de l'État[1], dont tous les mem-

---

1. Tant que son intervention n'est pas nécessaire pour harmoniser et coordonner leurs activités : sans exclure que l'État, quand l'initiative privée fait défaut, puisse ou doive créer, sur le même modèle, des entreprises indispensables.

bres seraient propriétaires de l'affaire et recevraient un salaire proportionnel à leurs responsabilités, et d'ailleurs déterminé par eux, à partir d'un minimum déjà largement suffisant. Rien n'empêcherait ces petites républiques de se fédérer dans un plus grand ensemble, de fonder des instituts de recherche communs et de s'épauler mutuellement en cas de crise. Je ne vois, en effet, pas d'autre moyen de faire cesser, dans le travail humain, l'affrontement si souvent catastrophique entre la pénurie et l'abondance : que la suppression, par les méthodes que je viens de suggérer, à la fois de la pauvreté et de la richesse.

L'intérêt du travailleur, stimulé au maximum par le fait qu'il est réellement copropriétaire de l'affaire, aboutira au meilleur rendement, sans faire du gain, réparti sur tous et contrôlé par tous, un appât désordonné, ni à plus forte raison, un motif d'exploitation, totalement exclue par le caractère démocratique de l'entreprise.

L'organisation du travail sur cette base strictement humaine ne pourrait se désintéresser des peuples en voie de développement, techniquement retardés, qui fournissent souvent les matières premières et qui offrent un marché aux nations techniquement plus évoluées. Mais avant de toucher à ce difficile problème, il est nécessaire d'envisager la disparition totale de la misère au sein des États les plus riches. Il est facile, à l'époque des statistiques où nous sommes, de quadriller une ville, une région, un pays et d'y repérer les zones de paupérisme et de misère, et il serait possible d'en décider la suppression, avec le concours de l'État, par des subventions volontaires des petites républiques du travail que je préconise ou, si cela ne suffit pas, par un impôt décrété par l'État jusqu'à l'assainissement complet de la situation.

Cela impliquerait naturellement le concours d'urbanistes, d'architectes, d'ingénieurs, d'éducateurs, de psychologues, de médecins et de techniciens de tous ordres qui trouveraient là une magnifique occasion d'utiliser leurs talents.

On peut envisager une méthode semblable pour venir en aide aux pays techniquement retardés. Les statistiques doivent d'abord cerner les problèmes et repérer les zones économiquement sous-humaines et mettre les accapareurs nationaux en face de leurs responsabilités dans la lumière la plus crue. On pourra ensuite demander aux nations prospères de verser un impôt fixé éventuellement par l'ONU et réparti par elle, selon un plan d'urgence, aux pays défavorisés comme l'Inde, comme certaines régions de l'Afrique et de l'Amérique du Sud; en les aidant, bien sûr, à tirer parti de ces contributions financières par une *initiation technique appropriée.*

Tibor Mende a souligné, à bon droit, ce fait qu'il y a aujourd'hui *des nations prolétaires* et non seulement des individus prolétaires, et qu'un des moyens les plus urgents de les empêcher de recourir à la guerre avec l'appui des empires communistes, comme à une solution désespérée, est justement de leur venir en aide efficacement sans les coloniser économiquement, pour qu'elles ne se sentent pas victimes des États riches, comme elles seraient fondées à le faire, si ceux-ci cherchaient à tirer profit de leur concours: puisque toute la terre appartient à tous les hommes, qui ont tous droit à toutes les richesses qu'elle peut offrir, grâce aux techniques dont nous disposons.

À ce propos on peut se demander de quel droit quelque douze millions de Blancs, qui s'opposent d'ailleurs à l'immigration des gens de couleur, si je suis bien renseigné, peuvent posséder un continent comme l'Australie.

Les frontières territoriales d'une nation sont-elles plus immuables que les limites des propriétés particulières et peuvent-elles se fermer arbitrairement à des hommes qui ne trouvent pas ailleurs les moyens de subsistance requis par leur dignité ?

Voilà beaucoup de graves questions, soulevées par le scandale de la misère, et qui nous concernent tous avec la plus extrême urgence, si nous voulons vraiment éviter le recours à la violence et cette guerre du prolétariat du monde entier que ne cesse de préconiser Mao Tsê-tung, pour en finir, une bonne fois, avec l'exploitation de l'homme par l'homme.

Les solutions que je crois possibles n'ont rien de révolutionnaire. Elles pourront, je pense, s'appliquer en principe même en cas d'automatisation généralisée. Elles dérivent toutes de la conception du droit de propriété, envisagée comme un espace de sécurité qui permet à chacun de faire de soi-même un espace de générosité. Elles s'enracinent toutes dans la dignité de la *personne* que chacun est appelé à devenir, qui est le seul vrai sujet du droit et non l'individu ou la collectivité purement biologique.

Il n'est peut-être pas inutile pour terminer de dire un mot de la propriété ecclésiastique.

J'ai dû rompre, définitivement, à certains moments, tout rapport avec des supérieurs et des supérieures, qui laissaient partir les mains vides des employés laïques qui avaient consacré leurs meilleures années au succès d'œuvres conventuelles qui ont prospéré grâce à leur concours : sous prétexte qu'ils avaient reçu un salaire suffisant durant le temps de leur engagement, comme si leurs vieux jours pouvaient être assurés par un gain nécessairement dépensé de mois en mois. J'avoue en avoir été profondément scandalisé, en me disant que le vœu de pauvreté pouvait devenir, en certains cas, une assurance contre tout risque, au profit d'une communauté, dont les membres peuvent, jusqu'à leur mort, être certains de ne jamais manquer de rien.

Des populations foncièrement déchristianisées autour d'une grande abbaye ne sont-elles pas, parfois, l'indice d'une prospérité refermée sur elle-même et qui n'a pas su se répandre sur des voisins économiquement faibles.

La propriété ecclésiastique n'est pas plus intouchable ou plus immuable qu'aucune autre possession humaine. Elle est grevée, plus encore que toute autre propriété, de cette dette envers autrui qui est consubstantielle au droit tel que nous l'avons défini.

Même si un monastère a défriché, seul, à la force du poignet, un domaine qu'il a su rendre prospère, il ne peut prétendre à rien de plus qu'à la satisfaction des besoins légitimes de ses membres. Le surplus revenant en droit naturel aux autres, selon le degré de pénurie qui les menace.

Il faudrait être complètement aveugle devant l'expansion et la séduction du communisme pour ne pas voir que la surabondance, toujours fonction quelque part de la pénurie, est non seulement un ferment permanent de guerres intérieures ou extérieures, mais encore le plus grave obstacle à la diffusion de l'Évangile. Comment croire, en effet, à un royaume de Dieu intérieur à soi si l'on est constamment piétiné dans sa dignité humaine. Aussi bien n'y a-t-il pas de pires ennemis de l'Église que ceux qui prétendent l'enrichir avec les dépouilles des pauvres.

Le paradoxe de la pauvreté évangélique, c'est qu'elle nous commande d'*extirper la misère autant qu'elle nous presse de supprimer la richesse*, pour qu'il n'y ait plus deux humanités, séparées par la frontière infranchissable qui oppose la pénurie à l'abondance.

Nous sommes à la vingt-cinquième heure d'une réforme de structures trop longtemps attendue. Nous n'avons pas une minute à perdre. Mettons-nous à l'œuvre sans vaines déclarations, en nous rappelant que tous nos droits n'ont qu'une seule et unique justification : faire de nous un espace de générosité.

Postface

CE QUI RESSORT le plus clairement des recherches ébauchées dans les essais présentés ici, c'est l'équivoque qui concerne, à la fois et au même degré, l'homme et Dieu.

Gagarine a déclaré n'avoir pas vu Dieu dans l'espace qu'il était le premier à explorer à bord d'un engin habité. Cela est aussi peu surprenant que le serait l'affirmation d'un biologiste disant qu'il n'a pas réussi à découvrir, à l'aide du microscope électronique, la dignité humaine dans les molécules de notre cortex cérébral.

Dans le monde-objet, qui relève entièrement d'une expérimentation physique, il est évidemment impossible tout ensemble de rencontrer Dieu et de rencontrer l'homme. Ces deux absences se conjuguent. C'est pourquoi l'athéisme implique l'ananthropisme, la négation de Dieu celle de l'homme et réciproquement, dans la non-reconnaissance d'une transcendance qui donne seule accès à l'Un et à l'autre.

Et, sans doute, rien ne permet d'affirmer valablement une transcendance – et donc une personnalité, une dignité, une liberté, une responsabilité, une immortalité spécifiquement humaines – en dehors d'une transformation que l'on éprouve – en soi ou en autrui – comme un changement de plan où l'on passe de quelque chose à quelqu'un – de l'objet au sujet – en découvrant un univers de valeurs devant lequel on ne peut que s'effacer.

L'expérience de l'amour offre ici une analogie éclairante. Vous savez que vous aimez par la transformation qui fait de tout votre être une relation, vécue par le plus intime de vous-même, à l'être aimé, et vous ne pouvez le savoir autrement. La connaissance dans ce cas est rigoureusement solidaire de la dimension nouvelle dont votre existence s'accroît.

De même, ce qu'il y a de *proprement humain* dans l'homme ne se révèle qu'au prix du changement qui le fait surgir en nous : dans une radicale libération de nous-mêmes au contact – au plus intime de nous – d'une Présence infinie qui actualise notre inviolabilité, en faisant entrer notre humanité, affranchie de ses limites, dans la catégorie du sacré.

Cette libération de nous-mêmes, bien sûr, est presque toujours incomplète et intermittente. Mais elle présente toujours la même direction, la même exigence de dépouillement, le même caractère d'offrande à un Amour identique, d'autant mieux reconnu que nous devenons un espace plus capable de l'accueillir.

Les hommes qui font le vide en eux avec le souci de ne pas limiter et de ne pas déformer la Présence qui est la respiration de leur liberté, il faut l'avouer, ne sont pas légion. Ils se distinguent par une puissance impressionnante de silence et de patience qui préserve, chez les autres, la possibilité d'une rencontre libératrice que l'ombre même d'une attitude polémique compromettrait. Ils ne parlent ordinairement de ce qui est la Vie de leur vie qu'à ceux qu'ils sentent préparés à cette confidence. Il suffit qu'ils en témoignent par ce qu'ils sont. Ce sont pour moi les vrais prophètes.

Les hommes qui ne sont pas, comme dirait saint Bernard, « les aqueducs » de cette Source qui jaillit en vie éternelle au plus secret de nous, qui ne gravitent pas autour de ce Centre unique intérieur à chacun – athées ou croyants, laïcs ou clercs –, ne peuvent éviter les limitations passionnelles qu'imprime à leur parole ou à leur action « l'irrationnel affectif » qui domine notre « moi » préfabriqué. Le véritable universel leur échappe qui est ce Quelqu'un, caché en nous, en qui chacun est appelé à devenir quelqu'un.

Nous retrouvons ici le mot de Flaubert : « Pourquoi vouloir être quelque chose quand on peut être quelqu'un », c'est-à-dire une personne authentique, créatrice de valeur et de bien commun dans le plus inviolable de soi.

Que l'homme *soit* dans la transcendance qui l'affranchit de son « moi » biologique, en le faisant naître à lui-même, et Dieu transparaît avec d'autant plus d'éclat que cette libération est plus parfaite, car c'est le même chemin qui conduit à nous et à Lui, la quête de l'homme, pour le redire encore, ne pouvant aboutir qu'en l'expérience de Dieu.

C'est ce que signifie dans son indépassable concision « Je est un autre » qui résonne comme l'appel le plus dépouillé à la conquête d'un espace infini en nous.

Appendices

Le sacerdoce, état de pauvreté

L A CONNAISSANCE de Dieu est liée à la transforma- tion de l'homme. La présence divine, autrement dit, se manifeste normalement à travers une transparence humaine. Dieu est esprit : il faut que l'homme, à son tour, devienne esprit pour Le rencontrer authentiquement. Toute la distance entre nos servitudes instinctives et l'avènement en nous d'une personnalité entièrement accomplie figure l'écart à franchir entre une appréhension primitive du Divin et sa pleine révélation.

Emprisonné dans ses limites, l'homme toujours par quelque endroit – même s'il est prophète – limite inévitablement Dieu. Si la révélation chrétienne échappe à ce danger, si elle est parfaite et définitive, c'est qu'elle se fait jour à travers l'humanité du Christ, affranchie de toute limite par sa subsistance dans le Verbe qui l'enracine dans la liberté infinie de Dieu.

Cette plénitude unique ne tient pas exclusivement aux mots que Jésus prononce, à la lettre de son enseignement. Il en souligne lui-même l'inachèvement, conditionné par l'incapacité de ses disciples à entendre tout ce qu'il voudrait leur dire, à recevoir toute la lumière qu'il veut leur communiquer, car c'est elle qui constitue proprement la révélation qu'il apporte et qui est inséparable de sa personne, comme la présence même de l'éternelle Vérité.

Ce point est d'une extrême importance. L'Évangile de Jésus-Christ ne se réduit pas à une doctrine qui pourrait se transmettre sans lui, comme l'enseignement d'un Maître disparu se perpétue souvent – plus ou moins fidèlement – par l'action de ses disciples.

L'Évangile de Jésus-Christ, c'est Jésus-Christ lui-même, toujours vivant, qui fait éclater par sa présence les limites du langage même auquel il recourt, qui transforme toute parole en sacrement du Verbe qu'il est.

L'institution et la mission des apôtres, envoyés au monde comme les témoins autorisés du Seigneur crucifié et ressuscité, doivent se comprendre dans cette perspective. Ils n'ont pas à transmettre une doctrine séparée de Jésus, mais Jésus lui-même vivant dans sa doctrine où circule toute la lumière de son intimité. Cela ne peut s'accomplir que par l'effacement total de leur personne dans la sienne. Cela implique, en d'autres termes, qu'ils ne peuvent agir et être reçus en son nom qu'au titre de sacrements de sa présence, dans une entière désappropriation d'eux-mêmes en lui.

Cela ne veut pas dire qu'ils seront nécessairement parfaits, mais que leur mission ne pourra s'accomplir qu'à l'intérieur de leur démission. Pour leur foi, comme pour celle de leurs auditeurs, ils ne seront jamais que purs signes du Christ, sans avoir d'autre charge que celle de communiquer sa présence, qui est la Vie de notre vie. Ils auront, bien sûr, à se convertir sans cesse au Seigneur qu'ils annoncent, mais leurs imperfections n'empêcheront pas la transmission intégrale de sa personne par le sacrement qu'ils sont. Ainsi chaque homme qu'ils évangélisent sera assuré d'un contact immédiat avec le Christ, sans qu'aucune limite humaine ne puisse altérer ses rapports avec lui.

On voit que l'autorité apostolique implique une entière liberté à l'égard de l'homme qui l'exerce, puisqu'elle n'est pas autre chose, dans son essence, que le pouvoir de donner le Christ en Personne dans un total effacement en lui.

L'Église tout entière est assurément un peuple de prêtres, en ce sens que tout chrétien est appelé à porter, dans toute sa vie, le rayonnement du Christ, mais chacun risque aussi de le limiter par ses insuffisances et de mutiler ainsi la révélation qu'Il est si sa présence intégrale n'est pas continuellement actualisée par le ministère apostolique, qui réduit « l'envoyé » à ne pouvoir être, pour la foi, que le signe et le sacrement vivant de Jésus.

Le sacerdoce chrétien, issu de la mission apostolique qu'il perpétue, est donc bien, comme celle-ci, un état de démission, un statut de pauvreté. C'est pourquoi l'unique exigence dont il puisse se prévaloir, en vertu de son origine, c'est de s'effacer toujours plus entièrement dans la personne du Seigneur, pour le donner toujours mieux, en le limitant toujours moins, par l'accord progressif de la vie personnelle du ministre, dépouillé de soi en principe par son ordination, avec le sacrement qu'il est.

Note sur l'immortalité

L A MORT physique est la rupture du cordon ombilical qui nous relie à l'univers physique. Nous cessons, par là même, d'être en prise sur lui et donc de pouvoir être ravitaillés et portés par lui. Cette rupture peut être éprouvée comme un arrachement qui nous prive de la vie ou comme une libération qui provoque son suprême épanouissement. Cela dépend du choix que nous avons fait de nous-mêmes.

Si nous restons emprisonnés dans nos déterminismes cosmiques à travers notre «moi» préfabriqué, notre existence apparaît inévitablement rivée au monde matériel et incapable de subsister sans son soutien. Dans la mesure, au contraire, où nous parvenons à nous libérer de nous-mêmes dans le surgissement d'un «moi» oblatif, nous atteignons à un mode d'être autonome, dont le centre de gravité se situe dans cette zone inviolable où notre dignité a son mystère.

Cette *autonomie*, il importe de le souligner, a une signification et une portée ontologiques, comme la liberté dont elle est le fruit. Elle implique, autrement dit, un changement dans notre *être*, qui passe de la dépendance cosmique à l'indépendance, du dehors au dedans, de quelque chose à quelqu'un.

Nous le pressentons dans nos relations interpersonnelles. Si – pour reprendre l'exemple d'Alain – un homme ne peut aimer une femme folle, c'est que l'être humain a pour nous sa réalité spécifique dans une dimension qui échappe à toute possession physique. Plus ces relations s'épurent, plus aussi grandit la distance de respect qui les intériorise, en même temps que nos rapports avec nous-mêmes s'enracinent toujours davantage en l'Autre transcendant qui est la clé de notre intimité. Car nous expérimentons simultanément l'inviolabilité d'autrui et la nôtre, en la naissance d'un univers qu'un amour désapproprié de soi peut seul reconnaître, comme il y peut seul pénétrer.

Si le monde physique, capable de mettre en pièces notre organisme, avait aussi le pouvoir de détruire cette inviolabilité qui constitue la personne, c'est que celle-ci serait radicalement du même ordre que lui : comme une simple chose privée de toute intériorité. Notre expérience d'une dimension proprement humaine serait illusoire. En réalité l'homme n'existerait pas. Notre liberté n'aurait aucun sens faute d'aboutir à une véritable libération. Notre dignité tomberait en poussière. Nos droits n'auraient plus aucun fondement. L'univers ne se dépasserait pas dans une transcendance où notre esprit – inexistant dans cette hypothèse – attesterait son pouvoir créateur et il se réduirait tout entier à l'automatisme des énergies sans visage qui résorberaient, finalement, le conscient dans l'inconscient.

On voit qu'il faut nier l'homme pour nier l'immortalité, mais, aussi, qu'il faut *se faire homme* pour l'affirmer sur la base d'une expérience *terrestre* où l'au-delà se révèle comme un au-dedans.

La mort, assurément, règne sur nous tant que nous n'avons pas transplanté nos racines dans l'univers immatériel où notre personnalité s'atteste comme source et origine d'une vie proprement humaine. Elle serait vaincue avant de nous atteindre, en revanche, si cette transplantation était parfaitement accomplie, si nous étions radicalement affranchis de tout ce qui lui donne prise sur nous. Sa venue, alors, consommerait notre libération, en rompant tout lien de dépendance à l'égard du monde physique et en nous faisant naître, ainsi, à une autonomie sans réserve.

L'esprit par vocation est liberté. Il est, précisément, en nous le pouvoir de nous récupérer, en cessant de subir la vie préfabriquée qui nous a été imposée, par l'offrande qui la fait renaître, en l'enracinant dans l'Amour infini où elle trouve son inviolable intériorité. C'est dire que l'esprit est puissance et – dans la mesure où il est fidèle à ses propres exigences – expérience d'immortalité.

Il ne s'agit pas, on le voit, dans cette problématique, de mettre une rallonge à notre biologie périssable ni d'exorciser la peur de la mort par une espérance chimérique, mais simplement d'exister *librement* en portant en soi, ici-bas déjà, la source de sa vie.

Sans doute, ce n'est généralement pas en un jour que l'on fait de soi un espace illimité et la plupart ne songent même pas à se joindre dans cet au-delà intérieur à eux-mêmes. Ceux qui réussissent à se libérer d'eux-mêmes n'en sont pas moins, selon l'ampleur de cette réussite, les témoins les plus efficaces d'une immortalité consubstantielle à notre libération.

Cela ne permet pas, assurément, d'anticiper avec précision – hors d'une révélation – le mode d'existence consécutif à la rupture du cordon ombilical qui nous relie à l'univers physique. Le dialogue d'amour en lequel s'accomplit notre libération se perpétuera sans doute pour ceux qui s'y sont réellement engagés : dans ce Centre divin plus intime à nous-mêmes que le plus intime de nous-mêmes et non dans un ailleurs que nous serions tentés de localiser.

Cette note, très incomplète, ne prétend pas définir la condition des défunts, mais simplement suggérer que nous faire hommes authentiquement, c'est, dans la même mesure, nous immortaliser, en reconnaissant une liberté réellement créatrice comme le sens ultime de l'évolution dans un univers conçu comme une rampe de lancement vers l'éternité.

Les lunettes de Koriakoff

NÉ ET ÉLEVÉ sous le régime soviétique qu'il n'a jamais songé à remettre en question, Koriakoff, devenu journaliste, est mobilisé au moment où Hitler se retourne contre la Russie. Après avoir gagné, sur le front, ses galons de capitaine, il rencontre à Moscou, au cours d'une permission, un vieux bibliothécaire, ami de sa famille, qui lui fait don d'un Nouveau Testament. La lecture des Évangiles est, pour lui, la rencontre du Christ. Transformé intérieurement et décidé à conformer sa vie à la découverte qu'il vient de faire, il rejoint son corps d'armée, qui avance avec une rapidité foudroyante de Russie en Pologne et de Pologne en Allemagne. Fidèle à sa résolution, Koriakoff déploie toute l'influence dont il est capable pour protéger les civils, et tout particulièrement l'honneur des femmes, contre les brutalités auxquelles ils sont inévitablement exposés.

Dans les derniers jours de la guerre, tandis que, dans son secteur, la fortune du combat joue tantôt en faveur des Russes, tantôt en faveur des Allemands, il a l'occasion, un matin où les troupes soviétiques ont l'avantage, de sauver deux jeunes Allemandes qui allaient subir la violence de ses soldats. Le même jour les Allemands se ressaisissent et Koriakoff tombe entre leurs mains.

Il est accueilli dans le camp nazi par un capitaine qui le gifle brutalement, en lui disant : « Vous êtes une de ces brutes soviétiques qui outragez les femmes allemandes. » Le coup est si violent qu'il fait tomber ses lunettes.

Au même moment se présente une fermière allemande qui désigne Koriakoff en disant : « C'est cet homme qui a sauvé mes deux filles ce matin. »

Alors un colonel allemand, qui avait assisté impassible à l'outrage infligé à Koriakoff, se baisse, ramasse ses lunettes et les lui tend respectueusement.

En un instant les murs de séparation sont tombés. Cet Allemand n'avait plus en face de lui un Russe, ce colonel un capitaine, ce vainqueur un vaincu : il n'y avait plus qu'un homme, dont la dignité avait été injustement bafouée et à laquelle il se sentait tenu d'offrir une immédiate réparation.

Par ce geste de respect l'Allemand venait de naître à son humanité, en reconnaissant celle du prisonnier anonyme, auquel la déposition de la fermière avait donné un visage où transparaissait une Valeur qu'il découvrait, identique, dans son propre cœur.

Cet épisode infinitésimal est, en réalité, immense comme la naissance de l'homme et comme la naissance de Dieu : dans l'homme.

Table des matières

Du même auteur

Anne Sigier	*Hymne à la joie* *Je parlerai à ton cœur* *Morale et Mystique* *Silence, Parole de vie* *Ta Parole comme une source* *Vie, mort, résurrection* *Pèlerin de l'espérance*
Cerf	*Croyez-vous en l'homme?* *Notre-Dame de la Sagesse* *La Pierre vivante*
Desclée	*Ouvertures sur le vrai* *Recherche de la personne* *Ton visage, ma lumière*
Desclée de Brouwer	*Dialogue avec la vérité*
Mame / Le Moustier	*Poème de la sainte liturgie* (adapté)
Saint-Augustin	*Avec Dieu dans le quotidien* *Émerveillement et pauvreté* *L'Évangile intérieur* *La Liberté de la foi* *Quel homme et quel Dieu?*
Le Sarment / Fayard	*Un autre regard sur l'homme*

Études sur Maurice Zundel aux Éditions Anne Sigier

LUCQUES, Claire, *Maurice Zundel, dans la nostalgie de l'éternelle beauté*, 1991.

DARBOIS, François, *Oraison sur la vie*, 1997.

Pour toute documentation, ouvrages épuisés, cassettes audio, transcription de cassettes ou disquettes d'enregistrement informatique, ou études sur Maurice Zundel, on peut contacter :

– La Fondation Maurice Zundel, à Fribourg (Suisse), 3, ch. du Cardinal Journet, CH-1752, Villars-sur-Glane.

– En France, le père Bernard de Boissière, 42, rue de Grenelle, 75007 Paris, tél. : (01) 44.39.46.67, ou encore M. Paul Abela, 52, rue Liancourt, 75014 Paris, tél. : (01) 43.22.06.19.

– Pour le Canada, sœur Béatrice Héon, 6895, rue Boyer, Montréal (Québec) H2S 2J6, tél. : (514) 274-2234.

Sur l'Internet : www.total.net/~sigier/zundel.html

ACHEVÉ D'IMPRIMER
CHEZ
MARC VEILLEUX,
IMPRIMEUR À BOUCHERVILLE,
EN JANVIER MIL NEUF CENT QUATRE-VINGT-DIX-NEUF